TROIS JOURS ET UNE VIE

Pierre Lemaitre est l'auteur de *Travail soigné*, prix du Premier roman du festival de Cognac, *Robe de marié*, prix du Meilleur polar francophone, *Cadres noirs*, prix du Polar européen du *Point*, *Alex*, Dagger international et Prix des lecteurs du Livre de Poche, *Sacrifices*, Dagger international, et *Rosy & John*. *Au revoir là-haut* a reçu le prix France-Télévisions et le prix Goncourt 2013. Ses romans sont traduits en trente langues et plusieurs sont en cours d'adaptation.

PIERRE LEMAITRE

Trois jours et une vie

ROMAN

ALBIN MICHEL

© Éditions Albin Michel, 2016.
ISBN : 978-2-253-07082-5 – 1re publication LGF

À Pascaline

Pour mon ami Camille Trumer,
avec mon affection

1999

1

À la fin de décembre 1999 une surprenante série d'événements tragiques s'abattit sur Beauval, au premier rang desquels, bien sûr, la disparition du petit Rémi Desmedt. Dans cette région couverte de forêts, soumise à des rythmes lents, la disparition soudaine de cet enfant provoqua la stupeur et fut même considérée, par bien des habitants, comme le signe annonciateur des catastrophes à venir.

Pour Antoine, qui fut au centre de ce drame, tout commença par la mort du chien. Ulysse. Ne cherchez pas la raison pour laquelle son propriétaire, M. Desmedt, avait donné à ce bâtard blanc et fauve, maigre comme un clou et haut sur pattes, le nom d'un héros grec, ce sera un mystère de plus dans cette histoire.

Les Desmedt étaient les voisins et Antoine, qui avait alors douze ans, était d'autant plus attaché à ce chien que sa mère avait toujours refusé les animaux à la maison, pas de chat, pas de chien, ni de hamster, rien, ça fait des saletés.

Ulysse venait volontiers à la grille lorsque Antoine l'appelait, il suivait souvent la bande de copains jusqu'à l'étang ou dans les bois alentour et quand Antoine s'y rendait seul, il l'emmenait toujours avec lui. Il se surprenait à lui parler comme à un compagnon. Le chien penchait la tête, sérieux et concentré, puis soudain détalait, signe que l'heure des confidences venait de s'achever.

La fin de l'été avait été assez occupée par la construction d'une cabane avec les copains de la classe dans le bois, sur les hauteurs de Saint-Eustache. C'était une idée d'Antoine que, comme d'habitude, Théo avait présentée comme la sienne, s'arrogeant ainsi le commandement des opérations. Le magistère de ce garçon sur la petite bande était dû au fait qu'il était à la fois le plus grand de tous et le fils du maire. Ce sont des choses qui comptent dans une ville comme Beauval (on déteste les gens qu'on réélit régulièrement, mais on considère le maire comme un saint patron et son fils comme un dauphin, cette hiérarchie sociale qui prend naissance chez les commerçants s'étend aux associations et, par capillarité, gagne les cours d'écoles). Théo Weiser était aussi le plus mauvais élève de sa classe, ce qui apparaissait, aux yeux de ses camarades, comme une preuve de caractère. Lorsque son père lui flanquait une tannée – ce qui n'était pas rare –, Théo arborait ses bleus avec fierté, comme le tribut payé par les esprits supérieurs au conformisme ambiant. Il faisait aussi pas mal d'effet sur les filles, moyennant quoi, chez les garçons, il était redouté et admiré, mais n'était pas aimé. Antoine, lui, ne demandait ni ne jalousait rien. La construction de la cabane suffisait à son bonheur, il ne lui était pas nécessaire d'être chef.

Tout avait changé lorsque Kevin avait reçu une PlayStation pour son anniversaire. Le bois de Saint-Eustache avait été rapidement déserté, tout le monde se retrouvait pour jouer chez Kevin, dont la mère disait qu'elle préférait ça aux bois et à l'étang qu'elle avait toujours estimés dangereux. La mère d'Antoine, en revanche, réprouvait ces mercredis sofa, ça rend bête, ces trucs-là, elle finit par les lui interdire. Antoine s'insurgea contre cette décision, moins par goût pour les jeux vidéo que pour la présence des copains dont il était privé. Les mercredis, les samedis, il se sentit seul.

Il passa pas mal de temps avec Émilie, la fille Mouchotte, douze ans elle aussi, blonde comme un poussin, frisée, avec des yeux vifs, une vraie tête de chipie, le genre à qui on ne refusait rien, même Théo en pinçait pour elle, mais jouer avec une fille, ça n'est pas pareil.

Antoine retourna alors dans le bois de Saint-Eustache et entama la fabrication d'une cabane, aérienne celle-ci, dans les ramures d'un hêtre, à trois mètres de hauteur. Il garda le projet secret, savourant d'avance sa victoire lorsque les copains, lassés de la PlayStation, reviendraient dans le bois et découvriraient la construction.

Cette tâche lui prit beaucoup de temps. Il glana à la scierie des morceaux de bâche pour protéger les ouvertures de la pluie, des morceaux de toile goudronnée pour le toit, des tissus pour faire joli, il aménagea des niches pour ranger ses trésors, il n'en avait jamais fini, d'autant que l'absence d'un plan d'ensemble le contraignit à de nombreuses reprises. Pendant des semaines, cette cabane occupa tout son temps et son esprit, rendant le secret difficile à garder. Il évoqua bien, au collège, une surprise qui en ferait baver plus d'un mais il n'obtint guère de succès. À cette époque, la bande était littéralement électrisée par la sortie annoncée de la nouvelle version de Tomb Raider, on ne parlait que de ça.

Pendant tout le temps qu'il consacra à son œuvre, le chien Ulysse fut le compagnon d'Antoine. Non qu'il servît à grand-chose, mais il était là. Sa présence donna à Antoine l'idée d'un ascenseur pour chien qui permettrait à Ulysse de lui tenir compagnie lorsqu'il montait chez lui. Retour à la scierie pour dérober une poulie, puis quelques mètres de corde et enfin de quoi fabriquer une plate-forme. Ce monte-charge, qui constituait la touche finale de la construction et en soulignait l'ambition, nécessita de nombreuses heures de mise au point, dont une large partie fut occupée à courir après le chien, que la perspective de décollage paniquait depuis la première tentative. La plate-forme ne restait horizontale qu'avec l'aide d'un bâton servant à en maintenir l'angle gauche. Ce n'était pas totalement satisfaisant, mais Ulysse parvenait tout de même à l'étage. Il poussait des couinements pathétiques pendant toute la montée et, une fois qu'Antoine l'avait rejoint, il se blottissait contre lui en tremblant. Antoine en profitait pour respirer son odeur, le caresser, il en fermait les yeux de bien-être. La descente était toujours plus facile, Ulysse n'attendant jamais d'être au niveau du sol pour sauter à terre.

Antoine rapporta sur place des ustensiles récoltés au grenier, une lampe de poche, une couverture, de quoi lire et écrire, à peu près ce qui était nécessaire pour vivre en autarcie ou presque.

Il ne faudrait pas déduire de tout cela qu'Antoine était d'un tempérament solitaire. Il l'était à ce moment-là, par la force des choses, du fait que sa mère détestait les jeux vidéo. Sa vie était hérissée de lois et de règlements que Mme Courtin édictait avec autant de régularité que de créativité. D'un tempérament entier, elle était devenue, après son divorce, une femme à principes, comme souvent les mères seules.

Six ans plus tôt, le père d'Antoine avait profité d'un changement de situation professionnelle pour effectuer un changement de femme. Il avait accompagné sa demande de mutation en Allemagne d'une demande de divorce que Blanche Courtin avait prise au tragique, chose d'autant plus surprenante que le couple n'avait jamais bien marché et qu'après la naissance d'Antoine, les relations intimes entre les époux s'étaient dramatiquement espacées. Depuis son départ, M. Courtin n'était jamais revenu à Beauval. Il envoyait avec ponctualité des cadeaux en décalage permanent avec les désirs de son fils, des jouets de seize ans quand il en avait huit, de six ans quand il en avait onze. Antoine s'était un jour rendu chez lui, à Stuttgart, ils s'étaient regardés en chiens de faïence pendant trois longues journées et d'un commun accord n'avaient jamais renouvelé l'expérience. M. Courtin était aussi peu fait pour avoir un fils que sa femme pour avoir un mari.

Cet épisode consternant rapprocha Antoine de sa mère. À son retour d'Allemagne, il identifia le rythme lourd et lent de sa vie à ce qu'il pensa être sa solitude, son chagrin, et la considéra d'un œil nouveau, vaguement tragique. Et bien sûr, comme l'aurait fait n'importe quel garçon de son âge, il en vint à se sentir responsable d'elle. Elle avait beau être une femme agaçante (et même parfois franchement pénible), il crut voir en elle quelque chose d'excusable qui dépassait tout, le quotidien et les défauts, le caractère, les circonstances… Pour Antoine, rendre sa mère plus malheureuse encore qu'il l'imaginait était inconcevable. Jamais il ne se défit de cette certitude.

Tout cela, joint à sa nature peu expansive, faisait d'Antoine un enfant somme toute un peu dépressif, ce que l'apparition de la PlayStation de Kevin n'avait fait que renforcer. Dans le triangle père absent, mère rigide, copains éloignés, le chien Ulysse occupait évidemment une place centrale.

Sa mort et la manière dont elle survint furent pour Antoine un événement particulièrement violent.

Le propriétaire d'Ulysse, M. Desmedt, était un homme taciturne, irascible, solide comme un chêne, avec des sourcils broussailleux et un visage de samouraï furieux, toujours sûr de son droit, le genre à ne pas changer d'avis facilement. Et bagarreur. Il n'avait jamais été autre chose qu'ouvrier chez *Weiser, jouets en bois depuis 1921*, la principale entreprise de Beauval où sa carrière avait été émaillée d'accrochages et de disputes. Il avait même été mis à pied, deux ans plus tôt, pour avoir giflé M. Mouchotte, son contremaître, devant tous leurs collègues.

Il avait une fille d'une quinzaine d'années, Valentine, qui faisait son apprentissage de coiffeuse à Saint-Hilaire et un fils, Rémi, six ans, qui vouait à Antoine une admiration sans bornes et le suivait dès qu'il le pouvait.

Le petit Rémi, au demeurant, n'était pas un fardeau. Taillé sur le modèle de son père, il avait déjà l'épaisseur d'un futur bûcheron, il était facilement capable de monter avec Antoine jusqu'à Saint-Eustache et même jusqu'à l'étang. Mme Desmedt considérait Antoine, et elle n'avait pas tort, comme un garçon responsable à qui on pouvait confier Rémi lorsque l'occasion se présentait. L'enfant jouissait de toute manière d'une assez grande liberté de mouvement. Beauval est une ville de taille modeste, dans le même quartier tout le monde ou presque se connaît. Les enfants, qu'ils jouent près de la scierie ou qu'ils aillent à la forêt, qu'ils s'ébrouent du côté de Marmont ou de Fuzelières, sont toujours sous le regard d'un adulte travaillant ou passant par là.

Antoine, qui avait du mal à garder son secret, avait un jour emmené Rémi voir sa cabane suspendue. L'enfant n'avait pas ménagé son admiration pour cette prouesse technique, il avait fait plusieurs tours d'ascenseur dans un enthousiasme total. Après quoi, grande discussion, Rémi, écoute-moi bien, c'est un secret, personne ne doit savoir pour cette cabane. Jusqu'à ce qu'elle soit complètement terminée, tu comprends ? Je peux compter sur toi ? On n'en parle à personne, hein ? Rémi avait juré, craché, croix de bois, croix de fer, et pour autant qu'Antoine pouvait le savoir, il avait tenu parole. Partager un secret avec Antoine, pour lui, c'était faire partie des grands, c'était être grand. Il avait montré qu'il était digne de confiance.

Le 22 décembre fut une journée assez douce, quelques degrés au-dessus des normales saisonnières.

Antoine était évidemment excité par la venue de Noël (il espérait bien que son père, cette fois-ci, lirait attentivement sa lettre et lui enverrait une PlayStation), mais il se sentait un peu plus seul encore que d'habitude.

N'y tenant plus, il s'était lancé : il en avait parlé à Émilie.

Antoine avait découvert la masturbation un an plus tôt et cette activité était devenue multiquotidienne. Maintes fois, dans le bois, il s'était appuyé d'une main à un arbre, le jean sur les chevilles, et s'était soulagé en pensant à Émilie. Il avait pris conscience qu'en fait, c'était à son intention qu'il avait réalisé tout cela, qu'il avait construit un nid dans lequel il avait envie de l'emmener.

Quelques jours plus tôt, elle l'avait accompagné dans le bois, elle avait regardé la construction avec scepticisme, il fallait monter là-haut ? Peu portée sur le génie civil, elle était venue dans l'intention de flirter avec Antoine, elle envisageait difficilement d'avoir à le faire à trois mètres du sol. Elle avait minaudé un moment en tortillant une mèche blonde autour de son index et comme Antoine, vexé par sa réaction, ne semblait pas d'humeur à se prêter au jeu, elle était repartie.

Son passage avait laissé à Antoine un mauvais goût dans la bouche, Émilie en parlerait aux autres, il se sentait vaguement ridicule.

Il était rentré de Saint-Eustache et même l'atmosphère de Noël, la perspective de son cadeau n'étaient pas parvenues à lui faire oublier l'échec avec Émilie qui, avec le temps, prenait, dans son esprit, des allures d'humiliation.

Il est vrai que l'ambiance de fête, à Beauval, était largement teintée d'inquiétude. Décorations, sapin sur la place, concert de la chorale municipale, etc., la ville sacrifiait, comme tous les ans, aux festivités de fin d'année, mais avec une certaine réserve depuis que l'entreprise Weiser, en étant menacée, menaçait un peu tout le monde. La perte d'intérêt du grand public pour les jouets en bois était une évidence. On s'arc-boutait sur la fabrique des pantins, des toupies et des petits trains en frêne, mais on offrait des consoles vidéo à ses enfants, on sentait bien que quelque chose ne tournait pas rond, que l'avenir était menacé. Les rumeurs sur la diminution de l'activité de Weiser circulaient cycliquement. On était déjà passé de soixante-dix personnes à soixante-cinq, puis à soixante, puis à cinquante-deux. M. Mouchotte, le contremaître, avait été licencié deux ans plus tôt et n'avait toujours rien retrouvé. M. Desmedt lui-même, quoique parmi les plus anciens, vivait dans l'inquiétude. Il craignait, comme bien d'autres, de lire son nom sur la prochaine liste, dont certains prétendaient qu'elle arriverait juste après les fêtes...

Ce jour-là, un peu avant 18 heures, le chien Ulysse traversa la rue principale de Beauval à la hauteur de la pharmacie et fut renversé par une voiture. Le chauffeur ne s'arrêta pas.

On porta le chien chez les Desmedt. La nouvelle se répandit. Antoine se précipita. Ulysse, allongé dans le jardin, respirait lourdement. Il tourna la tête vers Antoine qui restait à la barrière, pétrifié. Une patte et des côtes cassées, l'intervention du vétérinaire s'imposait. M. Desmedt, les mains dans les poches, regarda longuement son chien, rentra dans la maison, en ressortit avec son fusil et lui tira dans le ventre une cartouche à bout portant. Après quoi, il fourra le corps du chien dans un sac plastique destiné aux gravats. Affaire réglée.

Tout avait été si vite qu'Antoine en resta la bouche ouverte, incapable d'articuler le moindre mot. Il n'aurait d'ailleurs pas eu d'interlocuteur. M. Desmedt était rentré chez lui et avait refermé la porte. Le sac gris contenant les restes d'Ulysse était stocké à l'extrémité du jardin, avec les autres remplis de débris de plâtre et de ciment provenant du clapier que M. Desmedt avait détruit la semaine précédente pour en reconstruire un neuf.

Antoine rentra chez lui assommé.

Sa peine était si grande que le soir, il ne trouva pas la force d'en parler à sa mère à qui l'événement avait de toute manière échappé. La gorge serrée, le cœur terriblement lourd, il ne cessait de revoir la scène, le fusil, la tête d'Ulysse, ses yeux surtout, la silhouette massive de M. Desmedt… Incapable de s'exprimer et même de manger, il prétexta qu'il n'était pas bien, monta dans sa chambre et pleura longtemps. D'en bas, sa mère demanda : « Ça va, Antoine ? » Il fut surpris de parvenir à articuler un « Ça va, oui ! » assez clair qui suffit à Mme Courtin. Il ne s'endormit que très tard, son sommeil fut visité par des chiens morts et des fusils, il s'éveilla rompu de fatigue.

Le jeudi, Mme Courtin partait très tôt travailler au marché. C'était, de tous les petits jobs qu'elle parvenait à glaner ici et là tout au long de l'année, le seul qu'elle détestait réellement. À cause de M. Kowalski. Un rapiat, disait-elle, qui payait ses employés le tarif minimum, toujours en retard, et leur vendait à moitié prix des denrées qu'il aurait dû jeter. Se lever aux aurores pour trois francs six sous ! mais elle le faisait quand même depuis près de quinze ans. Le sens du devoir. Elle en parlait dès la veille, ça la rendait malade. Grand et maigre, un visage osseux, des joues creuses, des lèvres minces et des yeux ardents, nerveux comme un chat, M. Kowalski correspondait assez peu à l'idée que l'on se fait d'un charcutier-volailler. Antoine, qui le croisait régulièrement, lui trouvait une tête à faire peur. Il avait acheté une charcuterie à Marmont, qu'il tenait avec deux commis depuis la mort de son épouse, deux ans après son arrivée dans la région. « Veut jamais embaucher, grommelait Mme Courtin, trouve toujours qu'on est bien assez nombreux. » Il faisait le marché de Marmont et, chaque jeudi, il assurait une tournée de quelques villages qui s'achevait à Beauval. Le long visage émacié de M. Kowalski était un sujet de plaisanterie parmi les enfants qui l'avaient surnommé Frankenstein.

Ce matin-là, Mme Courtin prit, comme chaque semaine, le premier autocar pour Marmont. Antoine, qui ne dormait déjà plus, l'entendit fermer la porte avec précaution, il se leva, regarda par la fenêtre de sa chambre, vit le jardin de M. Desmedt. Là-bas, dans un angle qu'il ne pouvait percevoir, il y avait le sac à gravats qui...

24

Les larmes le submergèrent de nouveau. Ce n'était pas seulement à cause de la mort du chien qu'il était inconsolable mais parce qu'elle faisait douloureusement écho à la solitude des derniers mois, toute une somme de déceptions et de déconvenues.

Comme elle ne rentrait jamais avant le début d'après-midi, sa mère inscrivait les corvées de la journée sur une grande ardoise accrochée dans la cuisine. Il y avait toujours du ménage, quelque chose à aller chercher et des courses à la supérette et des recommandations à n'en plus finir, range ta chambre, tu as du jambon dans le frigo, mange au minimum un yaourt et un fruit, etc.

Mme Courtin, qui préparait pourtant tout à l'avance, lui trouvait toujours des choses à faire, elle n'était jamais en peine. Antoine reluquait depuis plus d'une semaine dans le placard le colis envoyé par son père, qui avait une taille compatible avec une PlayStation dans son emballage, mais le cœur n'y était pas. La mort du chien le hantait par la manière brutale et soudaine avec laquelle elle était survenue. Il se mit au travail. Il fit les courses sans parler à personne, au boulanger il ne répondit que d'un signe de tête, il aurait été incapable de prononcer un mot.

En début d'après-midi, il n'avait qu'une hâte, aller se réfugier à Saint-Eustache.

Il rassembla ce qu'il n'avait pas mangé pour le jeter quelque part sur son passage. Devant chez les Desmedt, il se força à ne pas regarder le coin de jardin où étaient stockés les sacs-poubelle, il pressa le pas, son cœur cognait à se rompre, cette proximité ravivait sa douleur. Il serra les poings, se mit à courir et ne s'arrêta qu'au pied de sa cabane. Lorsqu'il reprit son souffle, il leva les yeux. Cet abri auquel il avait consacré tant d'heures lui apparut d'une laideur consternante. Ces bouts de bâche, de tissu, de toile goudronnée donnaient une impression de bidonville. Il se souvint de la mine dépitée d'Émilie devant cette construction... En rage, il monta à l'arbre et détruisit tout, jetant au loin les morceaux de bois, les planches. Quand tout fut dispersé, il redescendit, à bout de souffle. Il s'adossa à l'arbre, se laissa glisser au sol et resta un long moment à se demander ce qu'il allait faire. La vie n'avait plus aucun goût.

Ulysse lui manquait.

Ce fut Rémi qui arriva.

Antoine vit, de loin, avancer sa petite silhouette. Il marchait avec prudence, comme s'il avait peur d'écraser des champignons. Enfin, il fut devant Antoine qui, la tête entre les bras, était secoué de sanglots, il resta là, les bras ballants. Il regarda le haut de l'arbre, s'aperçut que tout avait été détruit, ouvrit la bouche, mais fut brusquement interrompu.

— Pourquoi il a fait ça, ton père ! hurlait Antoine. Hein, pourquoi il a fait ça ?

La colère l'avait mis debout. Rémi le fixa, les yeux écarquillés, écoutant les reproches sans bien les comprendre parce qu'à la maison, on lui avait seulement dit qu'Ulysse s'était sauvé, ce qu'il faisait périodiquement.

À cet instant, débordé par un insurmontable sentiment d'injustice, Antoine n'était plus lui-même. L'effet de sidération provoqué par la mort d'Ulysse venait de se transformer en fureur. Aveuglé par la colère, il attrapa le bâton qui servait naguère au monte-charge, le brandit comme si Rémi était un chien et lui le propriétaire.

Rémi, qui ne l'avait jamais vu dans un tel état, en fut effrayé.

Il se retourna, fit un pas.

Antoine prit alors le bâton à deux mains et, ivre de rage, en frappa l'enfant. Le coup porta à la tempe droite. Rémi s'effondra, Antoine s'approcha, tendit la main, lui secoua l'épaule.

Rémi ?

Il devait être assommé.

Antoine le retourna pour lui tapoter les joues, mais quand l'enfant fut sur le dos, il vit ses yeux ouverts.

Fixes et vitreux.

Et une certitude lui traversa l'esprit : Rémi était mort.

2

Le bâton vient de lui tomber des mains. Il regarde le corps de l'enfant, tout près de lui. Il y a quelque chose de si étrange dans sa posture, il ne saurait dire quoi, un abandon... Qu'est-ce que j'ai fait ? Et maintenant, quoi faire ? Aller chercher du secours ? Non, il ne peut pas l'abandonner là, non, ce qu'il faut, c'est l'emporter, courir jusqu'à Beauval, foncer chez le docteur Dieulafoy.

— T'inquiète, murmure Antoine, on va t'emmener à l'hôpital.

Il a parlé très bas, comme pour lui.

Il se penche, glisse ses bras sous le corps de l'enfant et se relève. Il ne sent pas sa force et c'est tant mieux parce qu'il va falloir en faire, du chemin...

Il se met à courir, mais le corps de Rémi, dans ses bras, est soudain très lourd. Antoine s'arrête. Non, ce n'est pas qu'il est lourd, c'est qu'il est mou. La tête est totalement rejetée en arrière, les bras tombent le long du corps, les pieds ballottent comme ceux d'un pantin. C'est comme porter un sac.

La volonté d'Antoine cède d'un coup, il plie les genoux, contraint de reposer Rémi au sol.

Est-ce qu'il est vraiment… mort ?

Devant cette question, le cerveau d'Antoine se bloque, plus rien ne fonctionne, les idées ne passent plus.

Il fait le tour pour regarder son visage. S'accroupir lui demande un effort terrible. Il observe la couleur de la peau, la bouche entr'ouverte… Il tend le bras, mais ne parvient pas à toucher le visage de l'enfant, un mur invisible s'est élevé entre eux, sa main bute sur un obstacle impalpable qui l'empêche de l'atteindre.

Les conséquences commencent à se faire jour dans l'esprit d'Antoine.

Il s'est relevé et marche de long en large en pleurant, il ne parvient plus à regarder le corps de Rémi. Les poings serrés, l'esprit chauffé à blanc, tous les muscles tendus, il va et vient, que faut-il faire, ses larmes coulent tellement qu'il ne voit plus très bien, il s'essuie d'un revers de manche.

Soudain, une vague d'espoir le submerge, il vient de bouger !

Antoine a envie de prendre la forêt à témoin : il a bougé, là, non ? Vous l'avez vu ? Il se penche.

Mais non, pas le moindre tressaillement, rien.

Sauf l'endroit où le bâton est venu le frapper qui change de couleur, c'est maintenant d'un rouge sombre, une marque large qui enveloppe toute la pommette, qui semble s'agrandir comme une tache de vin sur une nappe.

Il faut en avoir le cœur net, savoir s'il respire. Antoine a assisté à ça une fois, à la télé, on mettait un miroir sous les lèvres de quelqu'un pour voir s'il y avait de la buée. Mais ici, tu parles, un miroir…

Il n'y a rien d'autre à faire : Antoine tente de se concentrer et se penche sur le corps, tend l'oreille vers sa bouche, mais les bruits de la forêt et son cœur qui cogne l'empêchent d'entendre.

Alors, il faut s'y prendre autrement. Antoine écarquille les yeux, avance la main, les doigts largement écartés vers la poitrine de Rémi, son T-shirt Fruits of the Loom. Lorsqu'il entre en contact avec le tissu, Antoine ressent un soulagement : de la chaleur ! Il est vivant ! Sa main se pose alors résolument sur le ventre de l'enfant. Où est le cœur ? Il cherche le sien, pour le localiser. C'est plus haut, plus à gauche, il ne voyait pas ça par là, il imaginait... Et du coup, à force de tâtonner, il en oublie ce qu'il est en train de faire. Ça y est, sa main gauche sent son propre cœur et la droite est au même endroit, sur le torse de Rémi. Sous l'une, ça frappe fort, mais sous l'autre, rien. Il appuie, tâte ici et là, mais non, il plaque les deux mains, bien à plat, rien ne bat. Le cœur est mort.

C'est plus fort que lui, Antoine le gifle. À la volée. Pourquoi t'es mort, hein ? Pourquoi t'es mort ?

La tête de l'enfant dodeline sous les coups. Antoine s'arrête. Qu'est-ce qu'il est en train de faire ! Taper sur Rémi... qui est mort !

Il se relève, anéanti.

Quoi faire, il ne cesse de se poser la même question, sa pensée n'avance pas d'un pouce.

Il reprend ses va-et-vient devant le corps en se tordant les mains, il essuie ses larmes, c'est un torrent sans fin.

Il faut se rendre. À la police. Que va-t-il dire ? J'étais avec Rémi, je l'ai tué d'un coup de bâton ?

Et puis, à qui dire tout ça, la gendarmerie est à Marmont, c'est à huit kilomètres de Beauval... Sa mère va l'apprendre par les

gendarmes. Elle en mourra, jamais elle ne sup-
portera d'être la mère d'un assassin. Et son
père, comment va-t-il réagir ? Il enverra des
colis...

Antoine est en prison. C'est une cellule
étroite avec trois garçons plus âgés, connus
pour leur violence. Ils ont la tête des per-
sonnages d'*Oz*, il a vu quelques épisodes en
cachette, un type s'appelle Vernon Schillinger,
terrifiant, il adore les petits jeunes. En prison, Antoine va se retrouver face à quelqu'un
comme ça, c'est sûr.

Et qui viendra le voir ? Alors, tout défile, les
copains, Émilie, Théo, Kevin, le principal du
collège... Et la vision de M. Desmedt s'impose,
sa lourde carcasse, son bleu de travail, son
visage carré, ses yeux gris !

Non, Antoine n'ira pas en prison, il n'en
aura pas le temps, quand il l'apprendra,
M. Desmedt va le tuer, c'est sûr, comme il a
fait avec son chien, un coup de fusil dans le
ventre.

Il regarde sa montre. 14 h 30, midi au soleil.
Antoine est en nage.

Il doit prendre une décision, mais quelque
chose lui dit que c'est déjà fait : il va rentrer à la
maison, ne rien dire, monter dans sa chambre
comme s'il n'en était jamais sorti, qui pourra
deviner que c'est lui ? On ne s'apercevra

pas de la disparition de Rémi avant... Il calcule mentalement, mais tout s'embrouille, il compte sur ses doigts, mais compter quoi ? Combien de temps faudra-t-il pour retrouver Rémi ? Des heures, des jours ? Et puis, Rémi a été vu si souvent avec Antoine et ses copains, ils seront interrogés par la police... Si ça se trouve, en ce moment, ils sont tous ensemble chez Kevin, sur la PlayStation, il ne manque que lui, Antoine, et du coup, tous les regards vont se tourner vers lui.

Non, ce qu'il faut, c'est faire en sorte qu'on ne retrouve pas Rémi.

La vision du sac-poubelle contenant le chien mort lui traverse l'esprit.

S'en débarrasser.

Rémi a disparu, personne ne sait ce qu'il est devenu, voilà, c'est ça la solution, on va le chercher et personne ne va imaginer...

Antoine continue de marcher de long en large près du corps qu'il ne veut plus regarder, ça le panique, ça l'empêche de penser.

Et si Rémi a dit à sa mère qu'il allait rejoindre Antoine à Saint-Eustache ?

On est peut-être déjà à sa recherche, bientôt il va entendre des voix appeler : « Rémi ! Antoine ! »

Antoine sent le piège se refermer sur lui. Les larmes remontent. Il est perdu.

Il faudrait cacher le corps, mais où ? Comment ? S'il n'avait pas détruit la cabane, il y aurait monté Rémi, personne n'aurait été le chercher là-haut. Les corbeaux l'auraient dévoré.

Il est anéanti par la dimension de la catastrophe. Sa vie, en quelques secondes, a changé de direction. Il est un assassin.

Ces deux images ne vont pas ensemble, on ne peut pas avoir douze ans et être un assassin…

Le chagrin qui le submerge est vertigineux.

Et le temps passe, et Antoine ne sait toujours pas quoi faire, à Beauval on doit s'inquiéter maintenant.

L'étang ! On pensera qu'il s'est noyé !

Non, le corps va flotter. Antoine n'a rien pour le faire descendre au fond. Quand on le repêchera, on verra le coup à la tête. Pensera-t-on qu'il est tombé tout seul, qu'il s'est cogné ?

Antoine est totalement perdu.

Le grand hêtre ! Antoine le voit soudain comme s'il était là.

C'est un arbre immense qui s'est couché il y a des années. Un jour, comme ça, sans prévenir, il est tombé à la renverse, comme une vieille personne qui se serait éteinte soudainement, emportant avec lui son socle de racines, une énorme galette de terre haute comme un homme. Il a entraîné d'autres arbres, la ramure fait tout un entrelacs de branches dans lequel ils sont allés jouer quelque temps avec les copains, il y a longtemps, ils ont perdu le goût de cet endroit, on ne sait pas pourquoi… Le hêtre est tombé sur une sorte de terrier, un trou très large, dans lequel, même avant sa chute, on n'avait jamais osé descendre, personne ne sait où ça va, ni même si c'est profond, mais Antoine ne voit que ça comme solution.

Sa décision est prise, il se retourne.

Le visage de Rémi a encore changé, il est gris, l'hématome s'élargit, de plus en plus sombre. Et la bouche est de plus en plus ouverte. Antoine se sent mal. Jamais il n'aura la force d'aller jusque là-bas, à l'autre bout de Saint-Eustache, en temps normal il faut déjà près d'un quart d'heure.

Il ne savait pas qu'il lui restait des larmes. Elles pleuvent, ruissellent, il se mouche dans ses doigts, s'essuie dans les feuilles, s'approche du corps de l'enfant, se penche, saisit ses poignets. Ils sont minces, tièdes, souples, comme de petites bêtes endormies.

En détournant la tête, Antoine commence à le tirer…

Il ne fait pas six mètres avant de rencontrer des obstacles, souches, branchages. Le bois de Saint-Eustache n'appartient plus à personne depuis la nuit des temps, c'est un invraisemblable fouillis de fourrés épais, d'arbres serrés, parfois écroulés les uns sur les autres, de broussailles et de futaies, tirer un corps est impossible, il va falloir le porter.

Antoine ne s'y résout pas.

Autour de lui la forêt craque comme un vieux bateau. Il danse d'un pied sur l'autre. Comment rassembler son courage ?

Il ne sait pas d'où lui vient la force, mais il se penche brutalement, saisit Rémi et d'une seule poussée le charge son dos. Et il se met à marcher, très vite en contournant les souches quand il ne peut pas les enjamber.

Au premier faux pas, il se prend le pied dans une racine et tombe, le corps de Rémi sur lui, lourd comme une pieuvre, mou, enveloppant, Antoine pousse un cri et l'écarte, il se relève en hurlant et se plaque contre un arbre, cherche sa respiration… Il croyait qu'un cadavre, c'était rigide, il a vu des images de ça, des gens morts et raides comme des portes. Au contraire, celui-ci est flasque, comme désossé.

Antoine tente de s'encourager. Allons, il faut cacher ce corps, le faire disparaître, après tout ira bien. Il s'approche, ferme les yeux, saisit les bras de Rémi, se penche, le hisse de nouveau sur ses épaules et se remet à marcher, prudemment. Le porter ainsi sur son dos lui donne l'impression d'être un pompier sauvant quelqu'un d'un incendie. Peter Parker quand il soulève Mary Jane.

Il fait assez froid, mais il est en nage. Et épuisé, ses pieds pèsent des tonnes, ses épaules tombent. Pourtant, il faut accélérer le pas, à Beauval on s'inquiète déjà.

Et sa mère ne va pas tarder à rentrer.

Et Mme Desmedt viendra la voir pour demander où est Rémi.

Et quand il rentrera, on lui posera la même question, à lui, il répondra, Rémi, non, je ne l'ai pas vu, j'étais…

Où était-il ?

Tandis qu'il escalade les souches, contourne les fourrés impraticables, se cogne dans les rejets et les racines adventives qui courent à fleur de sol, titubant sous le poids du corps de l'enfant mort, il cherche où il pourrait être s'il n'était pas ici, mais il ne trouve rien. « Manque un peu d'imagination, ce garçon… », a dit l'instituteur l'an dernier, juste avant le passage en sixième. M. Sanchez ne l'a jamais beaucoup aimé, il n'y en avait jamais que pour Adrien, c'est le chouchou, depuis toujours, on entendait parfois dire que M. Sanchez et la mère d'Adrien… Une femme qui met du parfum, rien à voir avec la mère d'Antoine, à la sortie de la classe tout le monde la regarde, elle fume dans la rue et porte des…

Ça devait arriver, il s'étale une seconde fois, se cogne la tête contre un tronc, lâche son fardeau et pousse un cri en voyant Rémi passer au-dessus de lui et tomber lourdement sur le sol. Instinctivement, il a tendu la main… Un instant, il a même imaginé que Rémi s'était fait mal, il a pensé à lui comme à un être vivant.

Il voit son dos, ses petites jambes, ses petites mains, c'est d'une tristesse absolue.

Antoine n'en peut plus. Il reste ainsi, allongé dans les feuilles, dans l'odeur de la terre qu'il respire comme il respirait le pelage d'Ulysse. Il est si fatigué qu'il voudrait s'endormir là, s'enfoncer dans le sol, disparaître lui aussi.

Il va renoncer, il n'aura pas la force.

Son regard tombe sur sa montre. Sa mère doit être rentrée maintenant. C'est difficile à expliquer, mais s'il parvient à se remettre debout, c'est pour elle. Elle n'a pas mérité ça. Elle en mourra. Il va la tuer, elle aussi, si on apprend que…

Il se relève douloureusement. Rémi s'est écorché au bras et à la jambe, Antoine ne peut pas s'empêcher d'imaginer qu'il a mal quand même, c'est fou, quelque chose ne rentre pas dans sa tête, que Rémi est mort, non, il n'arrive pas à l'admettre. Ce n'est pas un cadavre, mais l'enfant qu'il connaît qu'il reprend sur son dos et transporte à travers le bois de Saint-Eustache, celui qu'il faisait monter sur la plate-forme avec Ulysse, qui criait wouaouhhh ! Il adorait ce truc.

Antoine commence à délirer.

Tandis qu'il avance à grands pas, il voit Rémi arriver là-bas, en face de lui, souriant, qui lui fait un signe de la main, salut, il a toujours admiré Antoine. Oh, dis donc, c'est une cabane ? Il regarde au-dessus de lui, vers la hauteur, c'est un petit garçon au visage rond, aux yeux expressifs, il parle drôlement bien pour son âge, bon, c'est un môme, il pense comme un môme, mais il est intéressant, il pose de drôles de bonnes questions...

Antoine ne s'est pas rendu compte du trajet. Il y est.

C'est là. Le grand hêtre couché.

Pour atteindre le tronc et le terrier en dessous, il faut pas mal batailler avec les fourrés envahissants, d'autant qu'il fait plus sombre encore dans cette partie du bois.

Antoine ne réfléchit plus, il avance. À plusieurs reprises, déséquilibré, il se raccroche où il peut, manque de tout lâcher, il déchire le poignet de sa chemise, mais il avance. La tête de Rémi cogne contre un arbre, ça fait un bruit sourd… Par deux fois, ses bras sont retenus par les épines, Antoine doit tirer pour les dégager.

Enfin, après une longue guérilla, le voici à pied d'œuvre.

À deux mètres de lui, juste sous le tronc massif du hêtre, la grande fente noire du terrier… Une grotte. Pour l'atteindre, il faut monter une petite butte de terre.

Antoine pose alors le corps à ses pieds, avec précaution, il se baisse et commence à le rouler. Comme un tapis.

La tête de l'enfant cogne ici et là, Antoine continue de pousser en fermant les yeux. Lorsqu'il les rouvre, il est à la moitié de la butte. Cette grande crevasse sombre dont il approche lui fait peur, comme l'entrée d'un four. Une bouche d'ogre. Personne ne sait ce qu'il y a là-dedans. Ni même si c'est profond. Et d'abord, c'est quoi ? Antoine a toujours pensé que c'était le trou laissé autrefois par la souche d'un autre arbre déraciné sur lequel le hêtre est venu se coucher.

Voilà. Maintenant, il y est.

Antoine ne parvient pas à en ressentir un soulagement. Le corps du petit Rémi est allongé à ses pieds, au bord du trou, et tous deux sont dominés par le fût colossal du hêtre couché.

Maintenant, il va falloir le pousser. Antoine ne s'y résout pas.

Il se tient les tempes avec les mains et hurle de douleur. Ivre de chagrin, il prend appui sur l'écorce de l'arbre, avance le pied droit, le glisse sous la hanche de l'enfant, le soulève légèrement.

Il tourne les yeux vers le ciel et brusquement lance la jambe.

Le corps roule lentement, à l'extrême bord du trou il semble hésiter puis, d'un coup, bascule et chute.

La dernière image qui restera dans la mémoire d'Antoine, c'est le bras de Rémi, sa main qui paraît vouloir s'agripper au sol, se retenir de tomber.

Antoine est cloué sur place.

Le corps a disparu. Saisi d'un doute, il s'agenouille, tend le bras, timidement d'abord, il cherche dans la fosse, tâtonne.

Sa main ne rencontre rien.

Il se relève, totalement hébété. Il n'y a plus rien. Plus de Rémi, rien, tout a disparu.

Sauf l'image de cette petite main aux doigts recroquevillés qui disparaît lentement...

Antoine se retourne et, à pas de géant, mécaniquement, enjambe les broussailles.

Parvenu à la bordure du taillis, il se met à dévaler la colline, à courir, courir, courir.

Le chemin le plus court oblige à traverser deux fois la route. Antoine se recroqueville dans un taillis. Comme il se trouve à la sortie d'un virage qui empêche de voir ce qui arrive, il tend l'oreille, mais toujours ces fichus battements de cœur…

Il se relève, scrute rapidement à droite puis à gauche et se décide. Il traverse en courant et replonge dans le bois au moment où débouche la camionnette de M. Kowalski.

Antoine se jette dans le fossé et s'immobilise. La camionnette file sur la route.

Antoine n'attend pas, il recommence à courir. À trois cents mètres de l'entrée de la ville, il reste un moment dans les fourrés, mais sent qu'il ne faut pas réfléchir, au contraire se décider, vite. Il quitte le bois et se met à marcher d'un pas qu'il espère assuré ; il cherche sa respiration.

A-t-il l'air normal ? Il se recoiffe. Il a quelques égratignures aux mains, rien de trop voyant, il brosse d'une main pressée la terre, les brindilles accrochées à sa chemise, à son pantalon…

Il pensait qu'il aurait peur de rentrer à la maison, mais non, au contraire, la boulangerie, l'épicerie, le portail de la mairie, ces lieux familiers le ramènent à la vie habituelle, mettent le cauchemar à distance.

Pour masquer la déchirure de sa manche de chemise, il en cherche le poignet pour le serrer dans sa paume.

Il baisse les yeux.

Il a perdu sa montre.

3

C'était une montre de plongée avec un cadran noir, un bracelet fluo vert et un nombre impressionnant de fonctions : un tachéomètre, une lunette tournante indiquant l'heure dans le monde, une autre pour mesurer le temps, une calculatrice… C'était une montre très large, démesurée pour le poignet d'Antoine, mais c'est justement ça qui lui plaisait. Pour avoir l'autorisation de l'acheter, il avait dû harceler sa mère pendant des semaines et ne l'avait obtenue qu'en échange d'un tas de promesses et d'engagements divers et au terme d'une leçon de morale sur les concepts d'épargne, de nécessité et de futilité, de gestion du désir, et quelques autres notions assez obscures pour lui que sa mère trouvait dans les magazines, dans les articles consacrés à l'enfance et à l'éducation.

Comment allait-il s'expliquer sur la disparition soudaine de cette montre ? Parce que sa mère allait s'en inquiéter, à coup sûr, pour ces choses-là, elle avait un œil infaillible.

Devait-il retourner sur ses pas ? Où pouvait-il l'avoir perdue ? Peut-être était-elle tombée dans la fosse, sous le grand hêtre... Et s'il l'avait perdue sur le chemin de retour ? Sur la route peut-être même ? Serait-ce une preuve contre lui si quelqu'un la trouvait ? Pire, est-ce que ça n'allait pas carrément guider les recherches et mener tout droit vers lui ?

Perturbé par ces questions, Antoine ne s'aperçut pas immédiatement qu'il régnait une activité anormale dans le jardin des Desmedt.

Une certaine effervescence agitait un groupe de sept ou huit personnes, des femmes pour l'essentiel, l'épicière, qu'on ne voyait jamais dans sa boutique, Mme Kernevel, Claudine, et même la vieille Mme Antonetti, maigre jusqu'à l'évanescence, qui chevrotait et plantait dans votre regard ses yeux bleus de sorcière et avec ça, méchante comme une teigne.

Cet essaim masquait la silhouette de Mme Desmedt, dont on ne percevait que faiblement la voix un peu nasillarde. Elle était enrhumée d'un bout à l'autre de l'année. « L'allergie à la sciure, assurait-elle toujours d'un ton docte. Dans un pays pareil, qu'est-ce que vous voulez faire… ! » Elle laissait alors retomber ses bras, ses mains claquaient sur ses cuisses avec un bruit de gifle pour souligner la fatalité à laquelle elle était condamnée. Lorsqu'il vit cette agitation dans le jardin, Antoine ralentit. Il entendit derrière lui des pas précipités, c'était Émilie. Elle arrivait à sa hauteur, tout essoufflée, lorsqu'une voix s'écria :

— Tiens, le voilà ! Voilà Antoine !

Jouant des coudes, Mme Desmedt quittait le jardin, son mouchoir à la main, et courait vers lui. Le groupe entier se précipita à sa suite.

— Sais-tu où est Rémi ? demanda-t-elle précipitamment.

Il comprit à l'instant même que jamais il ne parviendrait à mentir. La gorge serrée, il hocha la tête. Non…

— Alors…, lâcha Mme Desmedt.

Ce seul mot, prononcé d'une voix étranglée, était chargé d'une telle angoisse qu'Antoine faillit éclater en sanglots. Ce n'est qu'à l'intervention de l'épicière qu'il dut de se retenir :

— Il n'était pas avec toi…

Il avala sa salive, regarda autour de lui. Son regard tomba sur Émilie qui, arrêtée dans son élan vers Antoine, suivait cette scène avec une grande curiosité. Il parvint à répondre d'une voix basse :

— Non…

Il était près de s'effondrer lorsque l'épicière reprit :

— Où l'as-tu vu pour la dernière fois ?

Il s'apprêtait à dire qu'il ne l'avait pas vu de la journée. Le visage blanc comme un linge, il désigna vaguement le jardin. Les commentaires repartirent de plus belle.

— Mais enfin, s'écria l'épicière, il ne s'est quand même pas volatilisé, cet enfant !

— S'il avait traversé le quartier, on l'aurait vu…

— Allez savoir… !

Mme Desmedt continuait de fixer Antoine, mais elle donnait plutôt l'impression de regarder à travers lui et de prendre réellement conscience de ce qui était en train de se passer. Sa lèvre inférieure pendait, son regard était figé. Son accablement atteignit Antoine en plein cœur.

Il pivota lentement et, sans même regarder Émilie, se dirigea vers chez lui.

Avant d'ouvrir la porte, il se retourna. Il trouva à Mme Desmedt une curieuse ressemblance avec la femme de M. Préville, qui échappait parfois à la vigilance de sa garde-malade et qu'on retrouvait hagarde dans la rue, à hurler après sa fille unique qui était morte depuis plus de quinze ans. À côté du spectacle de ce malheur, de cet accablement, la blondeur

d'Émilie, sa fraîcheur, faisait un contraste douloureux.

En entrant chez lui, Antoine ressentit
un soulagement. Dans le salon, le sapin de
Noël tout enguirlandé scintillait comme une
enseigne de magasin.

Il avait menti et on l'avait cru. Était-il tiré
d'affaire pour autant ?

Et cette montre…

Sa mère n'était pas encore à la maison, mais
elle n'allait pas tarder. Il grimpa à l'étage, ôta
sa chemise, la roula en boule et la glissa sous
son matelas. Il enfila un T-shirt propre, s'approcha de la fenêtre, écarta très légèrement le
rideau et il aperçut dans la rue la lourde carcasse de M. Desmedt qui rentrait de l'usine
et qui avançait en direction du jardin où le
petit groupe était revenu. Il dégageait une
telle puissance, une telle brutalité, qu'Antoine recula… La seule idée de se trouver en
présence de cet homme lui tordait le ventre.
Une nausée le saisit, il plaqua sa main sur sa
bouche, n'eut que le temps de courir aux toilettes et de se pencher…

Ils finiraient par trouver le corps de Rémi et
ils reviendraient lui poser des questions.

Il alla jusqu'à sa chambre, les jambes lui
manquèrent, il tomba à genoux.

Dans moins d'une heure peut-être, si l'on ramassait sa montre sur le chemin, que l'on s'apercevait qu'il avait menti…

Une brigade de gendarmerie cernerait la maison pour l'empêcher de s'enfuir. On investirait les lieux, ils seraient trois, quatre même. Armés, ils monteraient lentement l'escalier le dos au mur, tandis qu'au mégaphone, dehors, on lui intimerait l'ordre de se rendre, de descendre les mains en l'air…. Il ne pourrait pas se défendre. On lui passerait aussitôt les menottes. « C'est toi qui as tué Rémi ! Où as-tu caché le corps ? »

Peut-être qu'on lui couvrirait la tête pour ne pas l'humilier. Il passerait devant sa mère, effondrée au rez-de-chaussée, qui répéterait Antoine, Antoine, Antoine… Dans la rue, toute la ville serait rassemblée, il y aurait des cris, des hurlements, salaud, assassin, tueur d'enfant ! Les gendarmes le pousseraient vers la camionnette, mais M. Desmedt surgirait à cet instant, d'un geste il arracherait la veste jetée sur sa tête pour qu'Antoine le voie serrer son fusil à hauteur de la hanche et tirer.

Antoine ressentit une douleur affreuse au ventre, il eut envie de retourner aux toilettes, mais il resta là, agenouillé sur le plancher de sa chambre, terrassé, il venait d'entendre une voix :

50

— Antoine, tu es là ?

Vite, donner le change.

Il se releva, alla s'asseoir à son bureau.

Déjà, sa mère était là, dans l'encadrement de la porte, inquiète.

— Qu'est-ce qu'il se passe ? Chez Bernadette, il y a tout un remue-ménage !

Il fit une mimique d'impuissance, je ne sais pas.

Mais il avait été interrogé par Mme Desmedt, il ne pouvait pas ignorer ce qui se passait.

— C'est Rémi… On le cherche.

— Ah bon ? Et on ne sait pas où il est ?

C'était bien sa mère, ça.

— Si on le cherche, maman, c'est qu'on ne sait pas où il est, sinon on ne le chercherait pas.

Mais Mme Courtin n'écoutait pas, elle s'était avancée jusqu'à la fenêtre. Antoine se plaça derrière elle.

Il y avait davantage de monde dans le jardin depuis que M. Desmedt était arrivé, ses copains du café, des collègues de chez Weiser. Des nuages d'un gris acier roulaient dans un ciel assombri. Sous cette lumière crépusculaire, ces gens assemblés autour de M. Desmedt apparurent à Antoine comme une meute. Il fut parcouru d'un frisson.

— Tu as froid ? demanda sa mère.

Antoine esquissa un geste d'impatience.

En bas, tous les regards venaient de se tourner vers le maire qui entrait dans le jardin. Mme Courtin ouvrit la fenêtre.

— Attendez, attendez, disait M. Weiser, qui répétait souvent ses mots.

Il avait une main largement ouverte devant la poitrine de M. Desmedt.

— On ne dérange pas les gendarmes comme ça !

— Quoi, comme ça ! hurla M. Desmedt. Parce que mon fils qui a disparu, c'est rien pour vous…

— Disparu, disparu…

— Parce que vous savez où il est, vous ? Un garçon de six ans que personne n'a vu depuis, quoi… (il consulta sa montre, fit son calcul en fronçant les sourcils)… près de trois heures, il a pas disparu, pour vous !

— Bon, où l'a-t-on vu pour la dernière fois, cet enfant ? demanda M. Weiser, qui tentait visiblement d'être constructif.

— Il a fait un bout de chemin avec son père, hein, Roger ? dit Mme Desmedt d'une voix vibrante.

M. Desmedt approuva. Il rentrait chez lui le midi et lorsqu'il repartait à l'usine, il n'était pas rare que Rémi fasse quelques pas avec lui, après quoi l'enfant retournait tranquillement à la maison.

— Et où étiez-vous quand il a fait demi-tour ? interrogea le maire.

On le sentait bien, ça ne plaisait pas trop à M. Desmedt que le directeur de l'usine qui l'employait s'érige ainsi en questionneur. Allait-il maintenant lui donner des ordres sur la manière de tenir sa famille ? Il y avait de la colère à peine retenue dans sa réponse :

— Plutôt que vous, c'est pas les gendarmes qui devraient se mettre au boulot ?

Il faisait une tête de plus que le maire et il s'était approché très près de lui pour le dominer davantage encore. Il parlait d'une voix de stentor et M. Weiser faisait un effort visible pour ne pas céder de terrain. Il en allait de son autorité, de sa dignité. Les femmes s'étaient reculées, les hommes s'étaient rapprochés, il était en quelque sorte cerné : tous étaient ouvriers, pères ou frères d'ouvriers de l'usine de M. Weiser. Cette confrontation inattendue réveillait chez quelques-uns la menace de chômage qui pesait sourdement sur tous. En M. Desmedt, on ne savait plus très bien qui était le plus courroucé, le père de Rémi ou l'ouvrier.

Peu sensible au débat qui opposait M. Desmedt au maire de Beauval, Mme Kernevel avait choisi de prendre l'initiative, elle était rentrée chez elle et elle avait décroché son téléphone.

L'arrivée des gendarmes était plus que Mme Courtin ne pouvait en supporter. Elle se précipita dehors.

D'autres voisins aussi s'étaient approchés, les passants s'étaient arrêtés, les absents avaient été appelés, ceux qui ne pouvaient pas entrer dans le jardin des Desmedt campaient dans la rue, toute cette petite foule grouillait, parlait et s'interpellait, mais les échanges se faisaient à voix basse, on murmurait, le bruissement avait une tonalité grave et préoccupée.

Antoine était obnubilé par la camionnette de la gendarmerie.

Elle passait souvent en ville, on connaissait le visage des gendarmes, ils s'arrêtaient volontiers au café, ne prenaient ostensiblement que des boissons sans alcool et tenaient à payer leurs consommations. Ils intervenaient parfois pour des altercations, la remise de documents officiels ; leur arrivée était toujours un petit événement, on se demandait qui était en cause et si la camionnette ne stoppait pas trop loin, on s'approchait volontiers.

Antoine ne connaissait pas les grades et trouva que le chef était bien jeune. Il se sentit curieusement rassuré.

Les trois gendarmes écartèrent la foule pour pénétrer dans le jardin.

Le chef interrogea brièvement Mme Desmedt. Tandis qu'il écoutait sa réponse en tendant l'oreille, il lui avait saisi le bras et la forçait à rentrer chez elle. M. Desmedt suivait en se retournant vers le maire qui, à son tour, tentait de suivre le groupe.

Puis tout le monde disparut. La porte se ferma.

La petite foule se scinda en plusieurs groupes, par affinités, les ouvriers de chez Weiser, les gens du quartier qui se connaissaient, les parents d'élèves. Personne n'esquissa le moindre mouvement de repli.

Antoine remarqua que l'ambiance avait changé. L'arrivée des forces de l'ordre avait élevé la petite circonstance au rang d'un véritable événement. Il ne s'agissait plus d'un accident isolé, mais de quelque chose qui concernait la collectivité. Antoine le ressentit. Les voix plus tempérées, les interrogations plus anxieuses, tout cela prenait à ses yeux, parce qu'il était concerné, un tour plus menaçant.

Il ferma la fenêtre précipitamment, il devait retourner aux toilettes. Il s'assit sur la cuvette, se plia en deux, mais rien ne venait. Il avait le ventre en bouillie, saisi de spasmes terriblement douloureux. Il plaqua ses bras serrés contre…

Il entendit du bruit... La douleur cessa brutalement, il leva la tête. Il pensa à ce cerf qu'il avait surpris une fois en forêt, dressé sur ses pattes, qui tournait lentement la tête, le museau en l'air, pour essayer d'entendre ce qu'il ne pouvait voir, il avait senti la présence d'Antoine et à l'instant même s'était transformé en une bête traquée, nerveuse, tendue...

Antoine comprit immédiatement que sa mère n'était pas seule, il y avait des bruits de voix, de voix d'hommes. Il se releva et, sans même refermer la ceinture de son jean, fila dans sa chambre.

— Je vais vous le chercher, disait sa mère, qui avait déjà commencé à monter l'escalier.

Antoine recula le plus loin possible de la porte, il fallait prendre une contenance, mais il n'en eut pas le temps.

— Ce sont les gendarmes, dit sa mère en entrant. Ils veulent te parler.

Son ton n'avait rien d'inquiet. Antoine y perçut même une sorte de gourmandise : son fils et donc elle étaient l'objet de l'intérêt des autorités, on les consultait, ils avaient leur mot à dire. Ils avaient de l'importance.

— Me parler... de quoi ? demanda Antoine.

— Mais... de Rémi, voyons !

Mme Courtin était presque choquée par la question d'Antoine. Mais tous deux furent

56

plus déstabilisés encore par l'arrivée du gendarme.

— Vous permettez… ?

Il entra dans la chambre, lentement, mais avec autorité.

Antoine aurait été incapable de lui donner un âge, il était en tout cas moins jeune que vu du jardin. Il se contenta de regarder le garçon avec un sourire confiant, passa rapidement en revue le contenu de la pièce, s'approcha et s'agenouilla devant lui. Il avait des joues parfaitement rasées, des yeux vifs et pénétrants et d'assez grandes oreilles.

— Dis-moi, Antoine, tu connais Rémi Desmedt, n'est-ce pas… ?

Antoine avala sa salive et répondit affirmativement, d'un signe de tête. Le gendarme avança la main vers son épaule, mais s'arrêta en chemin.

— Ne crains rien, Antoine… Je veux juste savoir quand tu l'as vu pour la dernière fois.

Antoine leva les yeux et vit sa mère à la porte de la chambre, qui assistait à la scène avec un air de satisfaction, presque de fierté.

— C'est moi qu'il faut regarder, Antoine. Réponds-moi.

La voix n'était plus la même, plus ferme, il voulait une réponse… à laquelle Antoine n'avait pas réellement réfléchi. Ç'avait été plus facile avec Mme Desmedt. Pour trouver du courage, il se tourna vers la fenêtre.

— Dans le jardin, parvint-il à articuler. Là, dans le jardin...

— Quelle heure était-il ?

Antoine trouva un encouragement dans le fait que sa voix n'avait pas tremblé excessivement, pas plus que ne devait trembler celle de n'importe quel garçon de douze ans interrogé par un gendarme.

Il chercha : qu'est-ce qu'avait dit Mme Desmedt tout à l'heure ?

— Vers une heure et demie, par là...

— Bien. Et qu'est-ce qu'il faisait dans le jardin, Rémi... ?

La réponse fusa :

— Il regardait le sac avec le chien.

Le gendarme fronça les sourcils. Antoine comprenait bien que sans explications, sa réponse n'était pas claire.

— C'est son père, à Rémi. Hier, il a tué son chien. Il l'a mis dans un sac-poubelle.

Le gendarme sourit.

— Eh ben, dis-moi, il s'en passe des choses à Beauval...

Mais Antoine n'était pas d'humeur à plaisanter.

— D'accord, reprit le gendarme. Et il est où, ce sac-poubelle ?

— Là, dit-il en désignant la fenêtre, dans le jardin. Avec les gravats. Il l'a tué d'un coup de fusil, il l'a mis dans un sac-poubelle.

— Et donc Rémi était dans le jardin et il regardait le sac-poubelle, c'est ça ?

— Oui. Il pleurait…

Le gendarme pinça les lèvres, bah oui, je comprends ça.

— Et ensuite, tu ne l'as plus revu…

Non, de la tête. Le gendarme le fixait, les lèvres plissées, concentré sur ce qu'il venait d'entendre.

— Et tu n'as pas vu une voiture s'arrêter ou quelque chose comme ça… ?

Non.

— Je veux dire, rien d'anormal ?

Non.

— Bien !

Le gendarme claqua ses mains sur ses genoux, bon, c'est pas le tout…

— Merci, Antoine, ça va bien nous aider.

Il se leva. En sortant, il fit un petit signe à Mme Courtin qui s'apprêtait à le suivre dans l'escalier.

— Ah oui, dis-moi, Antoine…

Il s'était arrêté sur le pas de la porte, s'était retourné.

— Quand tu l'as vu, là, dans le jardin, toi… tu allais où ?

Réponse réflexe :

— À l'étang.

Antoine sentit à quel point il avait répondu vite. Trop vite.

Il répéta alors, plus calmement :

— J'ai été à l'étang.

Le gendarme opina, à l'étang, OK, d'accord.

4

Le gendarme se campa sur le trottoir, dubitatif.

Il regardait dans la rue le rassemblement qui se faisait plus dense et plus nerveux.

On entendait des voix impatientes et fortes commenter la manière dont les choses se passaient. Le jour qui commençait à tomber rendait le retour de Rémi assez improbable. Que faisait-on ? Qui s'occupait de quoi ? Le maire allait du groupe d'ouvriers à la camionnette de gendarmerie, tentant de calmer les uns, d'interroger les autres... La perspective d'une colère collective n'était pas à écarter parce que chacun, pour des raisons sans doute différentes, se sentait victime d'une injustice et trouvait dans cette circonstance l'occasion de l'exprimer.

Le jeune gendarme s'ébroua. Il claqua légèrement dans ses mains et appela ses collègues.

En quelques minutes, une carte d'état-major fut dépliée, le gendarme s'adressa aux bénévoles qui levèrent le doigt, comme à l'école. On les compta. Mme Desmedt ayant écumé le centre-ville quand elle s'était aperçue de la disparition de Rémi, chacun reçut l'instruction de patrouiller dans une zone extérieure, sur les routes et les chemins qui conduisaient à Beauval.

Les moteurs démarrèrent. Les hommes roulaient des épaules en s'installant au volant et donnaient l'impression de partir à la chasse. Le maire lui-même était monté dans la voiture municipale pour participer aux recherches. Même si tous agissaient pour une bonne cause, il y avait dans l'air quelque chose de conquérant et vindicatif, l'énergie vertueuse que l'on trouve souvent à l'origine des lynchages et des ratonnades.

De sa fenêtre, Antoine eut la certitude paradoxale que toutes les personnes qui s'éloignaient venaient en fait à sa rencontre.

Le jeune gendarme ne remonta pas aussitôt en voiture. Il observait, pensif, cette détermination collective. Ce qui se mettait en route ne s'arrêterait peut-être pas facilement.

L'alerte départementale fut donnée.

La photo du petit Rémi Desmedt et son signalement furent diffusés dans tous les lieux publics.

Chez les Desmedt, les femmes se succédaient pour tenir compagnie à Bernadette. Mme Courtin elle-même, après avoir rangé ses courses et préparé le repas du soir, cria d'en bas :

— Antoine, je vais chez Bernadette !

Elle n'attendit pas la réponse. Antoine la vit traverser le jardin d'un pas pressé.

Antoine avait été très ébranlé par la visite du gendarme. Il y avait chez cet homme quelque chose de pénétrant, de suspicieux…

Il ne l'avait pas cru.

Cette certitude l'étreignit. La manière dont il était resté un long moment sur le trottoir, repensant à ce qu'Antoine lui avait dit, hésitant à remonter pour lui demander des comptes.

Antoine regardait le jardin maintenant désert et n'osait pas faire un geste. Lorsqu'il se retournerait, le gendarme serait là, dans la pièce, il aurait fermé la porte, se serait assis sur le lit et le fixerait. Au-dehors, la ville serait étrangement calme, comme vidée de ses forces vives.

Pendant un long moment, le gendarme ne dirait rien et Antoine comprendrait, sans pouvoir résister, que son propre silence était un aveu.

— Et donc, tu étais à l'étang…

Antoine hoche la tête, oui, c'est ça.

Le gendarme a l'air désolé, il plisse les lèvres et fait des petits bruits de bouche qui expriment sa déception.

— Tu sais ce qui va arriver, Antoine ?

Il désigne la fenêtre.

— Ils vont tous revenir dans un petit moment. La plupart n'auront rien trouvé, bien sûr, mais M. Desmedt, lui, se sera arrêté près du petit chemin, celui qui monte à Saint-Eustache.

Antoine avale sa salive. Il n'a pas envie qu'on lui raconte la suite, mais le gendarme est décidé à ne rien lui épargner.

— Il va trouver ta montre sur le chemin, alors il va marcher jusqu'au grand hêtre. Il va se pencher, tendre le bras, saisir quelque chose, il va tirer, et qu'est-ce qui va apparaître, Antoine ? Hein, qu'est-ce qui va apparaître ? Le petit Rémi… Tout ce qu'il y a de plus mort. Avec ses mains et ses jambes toutes molles, sa petite tête qui ballotte comme quand il était sur ton dos, tu te souviens ?

Antoine ne peut plus bouger, il ouvre la bouche, mais rien ne sort.

— Alors M. Desmedt va le prendre dans ses bras et il va le ramener à la maison. Tu vois le tableau, M. Desmedt qui traverse Beauval avec son enfant mort dans ses bras, suivi de tous les habitants du quartier... Et qu'est-ce qu'il va faire, d'après toi ? Il va rentrer chez lui d'un pas tranquille, il va déposer Rémi dans les bras de sa maman et il va ressortir avec son fusil, traverser le jardin, monter l'escalier et entrer ici...

À cet instant, M. Desmedt pénètre dans la pièce armé de son fusil. Il est tellement grand qu'il est contraint de baisser la tête pour passer la porte. Le gendarme, lui, ne bouge pas, il fixe Antoine, je t'avais prévenu, qu'est-ce que tu veux que je fasse maintenant ?

M. Desmedt s'avance, le fusil à la hauteur de la hanche, son ombre enveloppe Antoine et la fenêtre derrière lui et la ville tout entière...

Une explosion.

Antoine poussa un hurlement.

Il était à genoux par terre, il se tenait le ventre, il avait vomi un peu de bile.

Il aurait donné n'importe quoi pour n'être plus là... Cette idée l'arrêta net.

N'être plus là...

C'est ça qu'il devait faire. S'enfuir.

Il leva la tête, frappé par cette évidence. Pourquoi n'y avait-il pas pensé plus tôt ! Cette

perspective lumineuse le fit sortir de sa tor-
peur. Son cerveau, qui tournait au ralenti, se
remit en route. Il était très excité.

Il avait essuyé ses lèvres d'un revers de
manche et marchait de long en large dans sa
chambre. Pour ne rien oublier, il attrapa son
cahier de textes, un feutre, et nota à la va-vite
tout ce qui lui venait à l'esprit : vêtements,
argent, train, avion (?), Spider-Man, passeport ! le papier d'Allemagne, nourriture, tente
(?), sac de voyage…

Il fallait faire vite. Partir ce soir, cette nuit.

Demain matin, s'il s'y prenait bien, il serait
loin.

Il chassa l'idée d'aller en secret dire au revoir
à Émilie, elle irait tout raconter, pas question.
Au contraire, elle apprendrait le lendemain
qu'Antoine était parti seul à l'aventure, plus
jamais elle n'entendrait parler de lui, ou si, il
enverrait des cartes postales, du monde entier,
elle les montrerait à ses copines de classe et le
soir elle pleurerait en les regardant, elle les gar-
derait dans une boîte…

Dans quelle direction aller ? On l'imagine-
rait dans la direction de Saint-Hilaire, alors il
partirait dans l'autre sens, il ne savait pas où
cela conduisait parce que, quand on quittait
Beauval, c'était toujours par Saint-Hilaire. Il
regarderait sur une carte.

Son esprit était entré en ébullition. Chaque obstacle trouvait immédiatement sa solution. La gare de Marmont était à huit kilomètres, il marcherait dans la nuit, assez loin de la route. Arrivé là, il devrait prendre un billet, mais pour éviter qu'on le reconnaisse, il demanderait à quelqu'un de le faire pour lui, il était très content de cette ruse. Choisir une femme, ce serait plus facile. Il dirait que sa mère venait de le déposer à la gare, qu'elle était repartie en oubliant de lui remettre son billet, il montrerait son argent… L'argent ! Combien y avait-il sur son livret A ?

Il se rua au rez-de-chaussée, faillit faire tomber, en l'ouvrant, le tiroir de la desserte de l'entrée, le livret était là ! Son père l'alimentait scrupuleusement à chacun de ses anniversaires. 1565 francs ! Cette somme jusqu'à présent était une abstraction, sa mère répétait toujours qu'il pourrait en disposer, mais « à ta majorité seulement, pour acheter quelque chose d'utile ». Elle n'avait fait exception, l'an dernier (et après quelle résistance !), que pour la montre de plongée.

La montre…

Antoine s'ébroua.

Plus de 1500 francs sur son livret ! Il pouvait aller loin avec ça, tenir un sacré bout de temps !

Il emporta le livret dans sa chambre, plus excité que jamais. Allons, il fallait de l'ordre, de la méthode. Il était impatient de choisir sa destination. D'abord le train jusqu'à Paris ? ou Marseille ? L'Australie et l'Amérique du Sud lui semblaient les destinations les plus sûres, mais il se demandait si depuis Marseille... Il verrait sur place. Le mieux serait de prendre un bateau, il pourrait proposer de travailler pour payer le prix du billet et garder ainsi son argent pour là-bas. Il esquissa un geste vers le globe terrestre... Non, plus tard... Cette nuit...

Une valise, non, un sac de voyage, le marron, celui que sa mère rangeait au sous-sol. Il se précipita. Lorsqu'il le remonta dans sa chambre, il remarqua combien il était grand, il traînait presque par terre quand il le portait. Il se demanda de quoi il aurait l'air à la gare avec ce bagage démesuré. Ne serait-il pas plus prudent de prendre autre chose, son sac à dos par exemple ? Il les posa côte à côte sur son lit. L'un était trop grand, l'autre trop petit... Décider, vite. Il opta pour son sac à dos qu'il commença aussitôt à remplir de chaussettes et de T-shirts. Il glissa Spiderman dans la poche extérieure puis descendit remettre le sac de voyage à sa place et chercher son livret A, son passeport, le document que sa mère avait fait établir lorsqu'il était allé voir son père en Allemagne, il ne se souvenait jamais du nom, ah, voilà, l'autorisation de sortie du territoire. Était-ce encore valable, ce truc-là ?

Il en était là de ses hésitations lorsque la porte du bas s'ouvrit.

Il reconnut la voix de sa mère, mais aussi celles de Claudine et de Mme Kernevel.

Il s'avança discrètement dans le couloir.

Mme Courtin commençait à préparer du thé et les trois femmes poursuivaient la conversation entamée dans la rue :

— Où a-t-il été se fourrer, ce gamin ?

— À l'étang, disait Claudine, où veux-tu qu'il aille se perdre autrement ! Sera tombé dedans, c'est sûr…

— On n'en est plus là, ma pauvre Claudine, répliqua Mme Kernevel. Depuis qu'on a revu le chauffard…

— Quoi… quel chauffard ?

— M'enfin Claudine ! Celui qui a renversé le chien de M. Desmedt !

On entendait son agacement. À sa décharge, Claudine était une fille très gentille, mais totalement idiote, pour lui faire comprendre quelque chose… Mme Courtin intervint sur le ton pédagogique qu'elle utilisait pour donner des leçons à Antoine :

— Le chauffard qui a renversé le chien des Desmedt hier… Eh bien, quelqu'un a aperçu sa voiture ce matin, garée près de l'étang. Donc, c'est quelqu'un qui rôde par ici…

— Moi, je croyais qu'il s'était perdu, le petit…

Claudine était atterrée par cette découverte.

— Réfléchis, Claudine : on ne l'a pas vu depuis 1 heure de l'après-midi, il est presque 6 heures du soir. On l'a cherché partout, il n'a pas pu aller bien loin, il a six ans !

— On l'aurait… Ce serait un enlèvement, mon Dieu, mais pour quoi faire ?

Cette fois, personne ne répondit.

Antoine n'aurait pas su l'expliquer, mais que l'on pense à un kidnapping le rassurait. Il avait l'impression que cette hypothèse éloignait les soupçons.

Derrière lui, il entendit les voitures approcher. Il se précipita à la fenêtre.

Il y en avait trois. La tombée de la nuit avait interrompu les recherches. Une quatrième arriva. Puis ce fut au tour du véhicule municipal, conduit par le maire, de se garer dans la rue. Les hommes s'entretenaient à voix basse sur le trottoir. Leur attitude énergique et résolue avait disparu, ils avaient maintenant un air emprunté et vaguement coupable.

Mme Desmedt n'attendit pas que l'un d'entre eux rassemble son courage pour aller lui porter des nouvelles qui n'en étaient pas, elle se précipita hors de la maison, décomposée, écouta le compte rendu de l'un, de l'autre. Chaque information semblait la tasser un peu plus sur elle-même. Ces hommes qui rentraient bredouilles, cette nuit qui était maintenant tombée, les heures qui passaient... Enfin, M. Desmedt arriva à son tour. Il sortit de sa voiture les épaules basses. En le voyant, Bernadette vacilla, Weiser n'eut que le temps de la rattraper.

M. Desmedt accourut, prit sa femme dans ses bras et ce triste cortège se dirigea vers la maison.

Le visage crayeux de Bernadette, ses cernes, sa manière de se mordre le poing, et la façon soudaine dont elle s'était évanouie, tout cela avait secoué Antoine.

Il aurait voulu lui rendre Rémi.

Il se mit à pleurer lentement, silencieusement, c'était un chagrin profond parce qu'il savait que Bernadette ne reverrait jamais son petit garçon vivant.

Bientôt, elle le verrait mort.

Allongé sur une table en aluminium, recouvert d'un drap. Elle se serrerait contre son mari qui passerait son bras autour de ses épaules.

L'employé de la morgue soulèverait doucement le drap. Elle découvrirait le visage bleuté de Rémi, sans expression, avec son énorme hématome sur tout le côté droit de la tête. Elle éclaterait en sanglots, M. Desmedt la soutiendrait. En sortant, il ferait un signe au gendarme qui serait près d'eux, oui, c'est bien lui, c'est notre petit Rémi…

Quelques minutes plus tard, ce fut au tour de la camionnette de la gendarmerie d'arriver.

Antoine vit le capitaine accompagné de deux collègues traverser le jardin, sonner à la porte. Puis ils firent le trajet inverse, mais cette fois avec M. Desmedt qui marchait entre eux à grands pas. Il exsudait la colère. Tous quatre se dirigèrent vers la camionnette où tous les hommes encore présents se massèrent rapidement.

Entendant des cris, Antoine ouvrit la fenêtre.

— Où vous l'emmenez ?

— De quel droit… ?

— Laissez-les passer, criait le maire qui tentait l'impossible pour empêcher qu'on s'en prenne aux gendarmes.

— Parce que le maire est avec les gendarmes, maintenant ? Contre les gens ?

Les gendarmes, patients et concentrés, poursuivirent leur chemin, firent entrer M. Desmedt dans leur véhicule et démarrèrent aussitôt.

La plupart des hommes montèrent en voiture et prirent le sillage de la camionnette…

Antoine ne savait pas quoi penser.

Pourquoi venait-on d'emmener le père ? Le soupçonnait-on de quelque chose ?

Ah, si on pouvait arrêter quelqu'un d'autre que lui, et surtout M. Desmedt qui lui faisait tellement peur… Il pensa à Bernadette qui venait de voir partir son mari… Bombardé d'impressions contradictoires, Antoine ne savait plus où donner de la tête.

Claudine et Mme Kernevel étaient parties, Mme Courtin commença à réchauffer le repas.

Antoine reprit silencieusement ses préparatifs. Son sac à dos était petit, il ne pouvait pas y mettre tout ce qu'il aurait voulu, mais tant pis, avec l'argent qu'il avait, il achèterait en route ce dont il aurait besoin.

Vers 19 h 30, sa mère l'appela pour dîner.

— Tu te rends compte d'une histoire, quand même…

Autant qu'à Antoine, elle se parlait à elle-même.

Jusqu'ici, elle avait vécu l'événement comme un fait divers, une de ces histoires de voisinage qu'on raconte encore de temps en temps, des années plus tard, parce qu'elle était convaincue que Rémi allait réapparaître et que son entendement ne parvenait pas à concevoir qu'il puisse avoir réellement disparu. Elle avait en mémoire plusieurs exemples de gosses qu'on avait cherchés… Tout en mettant la table, elle raconta à Antoine :

— Tiens, le fils d'une voisine à ta tante… Quatre ans, il avait. Il s'était endormi dans le coffre à linge, je te jure ! Ils l'ont cherché pendant des heures, ils avaient déjà appelé les gendarmes, c'est la belle-fille qui l'a trouvé…

Ils virent au même instant les lumières des gyrophares éclairer les fenêtres. Mme Courtin fut la première debout. Elle ouvrit la porte.

La camionnette des gendarmes s'arrêtait, non pas devant la maison des Desmedt, mais devant celle des Courtin.

Mme Courtin ôta son tablier d'un geste vif. Antoine était derrière elle.

Le jeune gendarme s'avançait vers eux.

Antoine pensa qu'il allait mourir.

— Désolé, madame Courtin, de vous déranger. C'est qu'on aimerait bien parler à votre fils…

Disant cela, il se baissait et penchait la tête pour chercher Antoine du regard. Mme Courtin fronça les sourcils.

— Mais pourquoi…

— Une formalité, rien d'autre. Antoine ?

Le gendarme cette fois ne tenta pas de se mettre à sa hauteur en s'agenouillant devant lui.

— Tu veux venir avec moi, mon garçon ?

Antoine le suivit jusque dans le jardin voisin, près des deux autres gendarmes. M. Desmedt attendait là, lui aussi, le visage fermé. Il fixait Antoine avec ses yeux furieux.

Le gendarme se tourna vers Antoine.

— Montre-moi exactement à quel endroit tu as vu Rémi pour la dernière fois ?

Tous le regardaient. Sa mère se tenait derrière lui.

Qu'avait-il répondu à Bernadette ? Qu'avait-il dit au gendarme ? Il ne s'en souvenait plus exactement, il avait peur de s'embrouiller. Il avait parlé du chien. Antoine ne bougeait pas, le gendarme répéta sa question :

— Antoine, montre-moi exactement où il se trouvait, je te prie.

Antoine comprit alors que le gendarme s'était placé volontairement à cet endroit pour lui masquer le tas de sacs-poubelle. Tout lui sembla d'un coup beaucoup plus simple. Il fit un pas, tendit le bras.

— Là.

— Mets-toi à l'endroit où il se trouvait.

Antoine alla jusqu'aux sacs. Il imaginait la scène. Il se voyait passer dans la rue, il apercevait Rémi près du sac, qui pleurait…

Il s'avança. Là.

Le gendarme vint près de lui, attrapa le premier sac, le tira vers lui, l'ouvrit, jeta un œil à l'intérieur. M. Desmedt regardait la scène, les bras croisés.

À la porte de la maison, la silhouette de Bernadette se dessinait en contrejour. Elle tenait les pans de son manteau serrés contre son cou.

— Et qu'est-ce qu'il faisait, Rémi… ? demanda le gendarme.

C'était trop long. Quelques minutes, Antoine aurait pu tenir, mais dans ce jardin seulement éclairé par la lampe de la marquise et les lueurs des réverbères de la rue, se sentir ainsi scruté par Bernadette, M. Desmedt, par le gendarme, par sa mère qui essayait de comprendre à quoi tout cela pouvait servir… Par les gens qui maintenant s'arrêtaient dans la rue pour observer la scène.

Il se mit à pleurer.

— Ça va aller, mon garçon, dit le gendarme en lui prenant l'épaule.

À cet instant, on entendit des battements sourds, comme les ailes d'un oiseau lointain. Un hélicoptère passait là-bas, au-dessus du bois, du côté de Saint-Eustache, et pointait un phare vacillant vers le sol.

Le cœur d'Antoine battait au même rythme que les pales invisibles de l'hélicoptère qui dessinait des ronds dans le ciel nocturne.

Le gendarme se tourna vers M. Desmedt, pointa l'index sur son képi.

— Merci pour votre collaboration… L'alerte est déclenchée, on vous tient au courant s'il y a du nouveau, bien sûr.

Accompagné de ses collègues, il revint vers la camionnette et repartit.

Tout le monde rentra chez soi.

— Ils essayent de comprendre comment ça s'est passé…, dit Mme Courtin.

Elle ferma la porte, donna un tour de clé et revint dans le salon.

Antoine resta debout à l'entrée de la pièce, le regard rivé sur l'écran du téléviseur qui affichait le visage de Rémi, souriant, la mèche bien domestiquée, c'était une photo de classe de l'année précédente. Antoine connaissait ce T-shirt jaune sur lequel était imprimé un petit éléphant bleu.

Le commentateur dressait un portrait de l'enfant : ce qu'il portait lors de sa disparition, les hypothèses que l'on pouvait faire sur le chemin qu'il avait pu emprunter. Il mesurait 1,15 mètre.

Allez savoir pourquoi, ce chiffre brisa le cœur d'Antoine.

Un appel à témoins avait été lancé, un numéro de téléphone courait sur le bas de l'écran. On parlait de déplacer des plongeurs jusqu'à l'étang. Antoine imagina les pompiers, dont les camions avec les gyrophares seraient garés sur le chemin d'accès à l'étang, les hommes-grenouilles assis sur le rebord de leurs canots pneumatiques, basculant en arrière dans un mouvement vif et précis…

La journaliste était une femme d'une quarantaine d'années qu'Antoine avait souvent vue à l'écran, mais qu'aujourd'hui il regardait différemment parce qu'elle parlait d'eux, d'une voix grave presque solennelle : « Les premières recherches sont restées vaines… »

On vit quelques images de Beauval qui dataient un peu, des archives sans doute. Et quelques plans montrant des voitures de gendarmerie censées sillonner les alentours de la ville.

« … Et la nuit a contraint les enquêteurs à remettre à demain la poursuite de leurs recherches. »

Antoine ne parvenait pas à se détacher de l'écran. Il ressentait une étonnante impression de déjà-vu, l'annonce d'un fait divers tragique comme il y en avait souvent, mais cette fois il était directement concerné parce qu'il était l'assassin.

« … verture d'une information judiciaire pour recherche des causes de la disparition par le parquet de Villeneuve. »

— Tu viens à table, Antoine ? demanda
Mme Courtin.

Elle se tourna vers lui, le trouva étonnamment pâle.

— Toi, tu nous couverais quelque chose
que j'en serais pas étonnée…

5

Antoine dîna légèrement, c'est-à-dire qu'il ne mangea rien. Pas faim.

— Bah, forcément, dit sa mère. Avec tous ces événements…

Antoine l'aida à débarrasser puis, comme chaque soir, il s'approcha d'elle, tendit une joue qu'elle embrassa et il monta dans sa chambre.

Il fallait se préparer, achever son sac à dos, vers quelle heure pourrait-il partir sans être vu ? Dans la nuit…

Il tira ses affaires de sous son lit et soudain un doute l'envahit : comment allait-il faire pour retirer l'argent de ce livret ?

Lorsque exceptionnellement sa mère avait accepté qu'il en prélève – par exemple pour acheter sa montre –, c'est toujours elle qui s'était rendue à la Poste, tu ne peux pas le faire toi-même, il faut la majorité… Il se présenterait au guichet, on lui demanderait sa carte d'identité, non, même pas, on le regarderait, ça suffirait, non, ça n'est pas possible, mon garçon, il faut venir avec ta mère ou avec ton père…

Sans argent, la fuite était impossible.

Tout était remis en question. Il était condamné à rester et à attendre qu'on l'arrête.

Il était abattu, oui, mais moins qu'il ne l'aurait pensé. Il posa sur le décor de sa chambre un regard nouveau. Il trouva aussitôt ridicules son sac à dos bourré de chaussettes et de T-shirts et la figurine de Spider-Man qui sortait de la poche.

Il s'était grisé avec cette idée de départ, de fugue, mais y avait-il vraiment cru ?

Il fut soudain saisi d'une fatigue immense. Il n'avait plus de larmes disponibles. Il n'était plus qu'épuisé.

Il jeta son sac à dos sous son lit, glissa le livret d'épargne et les papiers dans le tiroir de son bureau et s'allongea sur son lit.

Son sommeil fut hanté par son avancée vers le grand arbre couché avec Rémi sur le dos. Sans cesse les bras ballants et flasques de l'enfant lui passaient devant les yeux.

Et il ne parvenait pas à avancer. Malgré ses efforts, la distance ne cessait de se recomposer. Il regardait alors ses pieds où gisait sa montre.

Elle était exactement telle que dans la réalité, avec un bracelet fluo vert, mais d'une plus grande taille encore, il était impossible de ne pas la voir.

Rémi avait disparu de ses épaules. À la place, Antoine portait cette immense montre qui pesait plus lourd que l'enfant. Il marchait dans la forêt, s'éloignait de Saint-Eustache. Entendant un bruit quelque part, derrière lui, il s'arrêtait, se retournait.

C'était Rémi. Il était allongé sur le ventre dans la fosse obscure. Il n'était pas mort, blessé seulement, mais il souffrait atrocement, les jambes et les côtes cassées. Il tendait les mains vers l'entrée de la fosse, vers la lumière. Vers Antoine. Il appelait au secours, il voulait qu'on l'aide à sortir de ce trou. Il ne voulait pas mourir.

Antoine !

Rémi ne cessait de hurler.

Antoine tentait de lui venir en aide, mais ses pieds refusaient d'avancer, il voyait le petit garçon lui tendre les bras, il entendait ses supplications qui devenaient des hurlements…

Antoine !

Antoine !

— Antoine !

Il se réveilla en sursaut. Sa mère était assise sur le bord de son lit et le fixait avec inquiétude. Elle tenait les mains serrées l'une contre l'autre.

— Antoine…

Il se redressa, instantanément réveillé. Tout lui revint.

Quelle heure était-il ?

La chambre n'était éclairée que par la lumière jaune du rez-de-chaussée qui montait jusqu'à l'étage.

— C'est que tu m'as fait peur à crier comme ça… Antoine, il y a quelque chose… ?

Antoine avala sa salive. Il fit non de la tête.

— Hein ? Il y a quelque chose ?

Était-ce le moment de tout avouer ? S'il avait été entièrement éveillé, sans doute aurait-il cédé à la tentation de se débarrasser de ce poids trop lourd pour lui, il aurait tout dit à sa mère, tout. Mais il avait du mal à réaliser ce qui se passait.

— Tu dors tout habillé, là, avec tes chaus-sures… Ça ne te ressemble pas… Si tu es malade, pourquoi ne le dis-tu pas ?

Sa mère posa la main sur son bras ; il se recula vivement, il n'aimait pas trop le contact physique avec elle. Elle n'en fut pas offusquée, les adolescents, c'est comme ça, elle avait lu des articles sur cette question, il ne fallait pas prendre ces choses-là personnellement, c'était l'âge qui faisait ça, ça passerait.

— Tu n'es pas bien ?

— Si, ça va, répondit Antoine.

Mme Courtin posa sa main sur le front d'Antoine, le même geste depuis toujours.

— Ça te perturbe aussi, cette histoire, bien sûr. Et les gendarmes qui te demandent des choses, forcément, on n'a pas l'habitude...

Elle le dévisageait en souriant gentiment. Ordinairement, cette attitude agaçait Antoine, ne me regarde pas comme ça, je ne suis plus un bébé, mais cette fois, il céda à la tentation d'être consolé. Il ferma les yeux.

— Allez, dit enfin sa mère, déshabille-toi et couche-toi.

Elle éteignit la lumière et laissa la porte grande ouverte.

Antoine ne se rendormit que sur le matin.

6

L'hélicoptère de la Sécurité civile reprit ses rondes le lendemain matin dès l'aube. On le voyait passer à intervalles réguliers, on levait la tête, on le suivait des yeux. D'autres gendarmes du département vinrent prêter main-forte à leurs collègues de Beauval. Les camionnettes, les voitures bleues passaient et repassaient par le centre-ville pour aller sillonner les routes avoisinantes.

Il y aurait bientôt vingt-quatre heures que le petit Rémi avait disparu.

Chez les commerçants où les nouvelles s'échangeaient, le pessimisme dominait. Ainsi qu'une colère un peu confuse qui se retournait tantôt sur la gendarmerie, tantôt sur la mairie. Car enfin, les gendarmes en avaient mis du temps avant de s'intéresser à cette disparition, non ? Ils auraient dû le chercher tout de suite, ce petit. Sur leur délai d'intervention, les avis divergeaient, certains disaient trois heures (c'est énorme, trois heures, quand disparaît un gamin de six ans !), d'autres disaient plus de cinq heures, en fait, personne ne faisait le même calcul, parce que personne ne partait du même moment. À quelle heure s'était-on rendu compte de son absence, à ce petit, vers midi ? Non, il était au moins 14 heures, quelqu'un avait vu Mme Desmedt s'inquiéter chez les commerçants. Pas du tout, Rémi a accompagné son père, qui reprend à l'usine à 13 h 45. Bon, disait Mme Kernevel, pour l'horaire, on n'est pas très sûrs, mais c'est quand même la mairie qui aurait dû agir. Là-dessus, à peu près tout le monde était d'accord, M. Weiser ne voulait même pas prévenir les gendarmes ! Il disait que le petit allait revenir et qu'on aurait l'air cloche d'avoir appelé pour rien !

Antoine ne quittait pas sa chambre. Il tentait de se concentrer sur son Tranformers en surveillant le jardin des voisins où il ne se passait plus grand-chose. M. Desmedt était parti sur les routes dès l'aube à la recherche de Rémi, on ne l'avait plus revu.

La mère d'Antoine, elle, revenait régulièrement à la maison avec de nouvelles informations qui contredisaient les précédentes.

En fin de matinée, une voiture de la télévision régionale arriva en ville, une journaliste interrogea les passants ; l'équipe vint filmer la maison des Desmedt et repartit.

Mme Courtin rentra vers midi et annonça qu'un professeur du collège était entendu par les gendarmes depuis le début de la matinée, mais elle était incapable de donner son nom.

Après quoi l'information circula : les plongeurs de la Sécurité civile seraient sur l'étang vers 14 heures.

Mme Courtin alla chez Bernadette pour lui conseiller (et elle n'était pas la seule) de ne pas s'y rendre, mais en pure perte. Vers 13 h 30, ils étaient une douzaine dans le jardin à l'accompagner, qui pour l'aider, qui pour la soutenir. Lorsqu'ils partirent, on aurait juré qu'ils allaient à un enterrement, ça n'était pas un comportement bien confiant.

Antoine vit le groupe s'éloigner. Devait-il s'y rendre lui aussi ? Ce qui le décida, c'est la certitude qu'on ne trouverait rien.

Il y avait foule sur le chemin. De loin, il était difficile de savoir s'il s'agissait d'une procession ou d'un événement touristique.

Mme Antonetti, assise sur le trottoir sur sa chaise cannée, regardait défiler les Beauvalois avec un mépris aveuglant auquel plus personne ne faisait attention depuis longtemps.

Les gendarmes avaient placé des barrières de sécurité empêchant la population d'approcher du bord de l'étang, il fallait laisser travailler les plongeurs. Lorsque Bernadette arriva, soutenue par Mme Courtin et Claudine, le fonctionnaire de service ne sut pas quoi faire. On ne pouvait quand même pas interdire à la mère d'être présente, s'indigna-t-on autour de lui. L'agent était réticent, mais les barrières commençaient à frémir, on entendit quelques cris, une injure fusa, on retrouvait l'état un peu fébrile qui accompagnait cette histoire depuis les premières minutes. Le fonctionnaire préféra s'écarter et se posa alors la question : qui allait-il laisser pénétrer sur la zone pour accompagner Bernadette ?

Heureusement, le capitaine des gendarmes arriva. D'autorité, il prit le bras de Bernadette et la guida lui-même jusqu'à la camionnette, où il lui servit du thé de son Thermos. D'où elle se trouvait, elle ne voyait rien de ce qui se passait sur l'étang, mais elle était là.

Antoine resta loin. Émilie le rejoignit. Elle voulut entamer la conversation, mais elle n'en eut pas le temps, déjà arrivaient Théo, puis Kevin et bientôt tous les autres, les garçons et les filles. Ils avaient tous adopté la mine de leurs parents, les mots de leurs parents. Certains ne connaissaient Rémi que d'assez loin, mais on avait le sentiment qu'il était le petit frère de tous les enfants comme il était déjà le fils de tous les adultes.

— C'est M. Guénot qu'ils ont arrêté, lâcha Théo.

Cette révélation causa un choc. C'était un prof de sciences, un type très gros sur lequel couraient des bruits. Certains l'avaient vu, à Saint-Hilaire, sortir de certains endroits...

Émilie, surprise, se tourna vers Théo.

— Il est pas chez les gendarmes, M. Guénot, on l'a vu ce matin !

Théo fut catégorique :

— Si tu l'as vu ce matin, c'est qu'il avait pas encore été arrêté. Mais moi, je peux t'assurer qu'il est chez les gendarmes et que... bon, je ne peux rien dire de plus.

C'était lassant, cette manière de retenir de l'information dans le seul but de se faire prier, mais il était toujours comme ça, à vouloir faire l'important. On avait besoin de savoir, plusieurs voix insistèrent. Théo fixait ses chaussures, les lèvres serrées comme s'il balançait sur l'attitude à adopter.

— Bon..., dit-il enfin. Mais gardez-le pour vous, hein ?

Il y eut un petit bruissement de promesses. Théo baissa la voix, il devenait à peine audible, il fallait se pencher pour l'entendre :

— Guénot… il est pédé. On dit qu'il a déjà fait des choses avec des élèves… Il y a eu des plaintes, mais ç'a été étouffé. Par le principal du collège, évidemment ! Il paraît qu'il les aime très jeunes, si vous voyez ce que je veux dire. On l'a vu plusieurs fois du côté de chez les Desmedt. On se demande même si le principal, lui aussi…

Le groupe était abasourdi par ces nouvelles.

Antoine, lui, ne comprenait plus très bien ce qui se passait. La veille, les gendarmes avaient eu l'air d'inquiéter M. Desmedt, après quoi ils lui avaient fichu la paix. Ce matin, c'était M. Guénot. Et peut-être le principal du collège. On cherchait du côté de l'étang où Antoine savait qu'on ne trouverait rien. Pour la première fois depuis vingt-quatre heures, il sentit sa poitrine se desserrer légèrement. Le risque s'éloignait-il ? Il ne pouvait pas s'enfuir, mais il ne parvenait pas à se défaire de cette interrogation : et si on ne retrouvait jamais Rémi ?

Toute la journée, cet endroit près de l'étang d'où personne ne pouvait rien voir et qui ne conduisait nulle part fut comme une annexe de Beauval, les informations y arrivaient au terme d'un chemin que personne n'aurait pu reconstituer, elles en repartaient enrichies de

commentaires, c'est-à-dire presque entièrement nouvelles.

En milieu d'après-midi, il s'établissait une
relation très étroite entre la recherche des
hommes-grenouilles là-bas, sur l'étang, et l'arrestation d'un homme sur l'identité duquel,
malgré les assurances de Théo, les avis restaient partagés. Dans cette course à la culpabilité, M. Guénot tenait la corde, mais le
chauffard faisait bonne figure, celui qui avait
renversé le chien de M. Desmedt l'avant-veille.
Tué net, disait-on. Le pauvre Roger n'avait
plus eu qu'à mettre son chien dans un sac-
poubelle, et pensez-vous qu'il se serait arrêté,
le type, pour s'excuser, j't'en fiche ! Et justement, quelqu'un l'avait vue, cette voiture, au
sortir de Beauval, une Fiat. Ou une Citroën.
Bleu métallisé. Immatriculée 69, tous des
chauffards là-bas. Mais était-ce le même jour ?
Le chien n'a pas été tué la veille de la disparition du petit ? Mais elle est revenue, qu'on
vous dit, la Fiat !

Dans l'ordre des candidats à la culpabilité,
on avait bien risqué encore deux ou trois autres
noms comme celui de M. Danesi, le patron de
la Scierie du Pont, mais l'information n'avait
pas beaucoup de crédit, elle venait de Roland,
un employé avec qui il s'était battu quelques
semaines plus tôt pour une histoire de vol qui

n'avait pas été tirée au clair. La rumeur est une sauce fragile, elle prend ou elle ne prend pas. Celle-ci ne prenait pas.

Quant à M. Desmedt, il figurait comme un outsider peu crédible. Bourru, souvent brutal, volontiers bagarreur, il n'était pas apprécié, mais il avait la supériorité indiscutable d'être quelqu'un de Beauval, par définition moins soupçonnable que M. Guénot qui venait de Lyon ou, a fortiori, que le chauffard qui ne venait de nulle part. Personne ne pensait sérieusement qu'il ait pu enlever ou tuer son fils, pourquoi l'aurait-il fait ? D'ailleurs, les gendarmes avaient ratissé tout le secteur du chemin qu'il aurait emprunté avec Rémi pour se rendre à l'usine et ils n'avaient rien trouvé. En fait, même ceux qui n'aimaient pas Roger Desmedt avaient du mal à le soupçonner.

La simple idée que quelqu'un avait pu tuer Rémi, un amour de gosse, connu partout pour sa petite bouille ronde et ses yeux vifs, pétrifiait parfois les conversations, de longs silences s'installaient sur l'image dont personne ne parvenait à se représenter toute l'horreur. Même Antoine n'y parvenait pas, parce qu'au fil de l'après-midi sa propre conscience de l'événement s'était transformée. Il était l'avant-dernière personne à avoir aperçu Rémi vivant. Sur ce fait, les esprits s'échauffaient parfois. Antoine avait-il vu Rémi avant ou après que le petit avait fait un bout de chemin avec son père ? Grave question. C'était une affaire de minutes bien difficile à trancher. Aussi, à de nombreuses reprises, Antoine fut-il contraint de raconter la scène. On s'attroupait autour de lui, on écoutait une énième fois la relation du moment où il sortait de sa maison, on revoyait avec lui le petit Rémi planté près des clapiers démolis par son père, on se figurait les sacs-poubelle dont l'un contenait le corps du chien. Antoine finit par croire lui-même à cette fiction ; lorsqu'il la racontait, il la voyait, il y était, son histoire prenait à ses propres yeux comme à ceux de ses interlocuteurs une densité qui peu à peu approchait la vérité.

Théo Weiser, qui s'était fait voler la vedette, restait en retrait. Antoine l'observait du coin de l'œil. Toujours entouré de copains de l'école ou du collège, Théo chuchotait en le regardant de biais…

Sans savoir pourquoi, Théo et lui ne s'étaient jamais aimés. Émilie, Théo et lui formaient une sorte de trio informel et étrange : Antoine était un bon élève qui venait de terminer son premier trimestre de sixième avec d'excellents résultats dans quasiment toutes les matières. Émilie était une élève moyenne, de celles qu'on orienterait en troisième vers la filière à la mode cette année-là. Théo, lui, était un cancre, mais assez astucieux pour n'avoir redoublé qu'une seule fois. Il avait un an de plus que les autres, et il n'était pas dans la même classe qu'Antoine et Émilie. Il était avec Kevin et Paul.

Cette situation, d'être ainsi les seuls de Beauval dans cette sixième, de se connaître depuis toujours, de se voir tous les jours, aurait dû rapprocher Antoine et Émilie, mais il avait beau faire... Sa dernière tentative pour lui proposer de sortir avec elle s'était soldée, sous la cabane de Saint-Eustache, par un échec cinglant. Avec les filles, d'une manière générale, il ne savait pas très bien y faire. Avec Émilie, c'était encore pire. Alors qu'avant toute cette histoire, elle était de tous ses rêves et de tous ses fantasmes...

Les plongeurs s'arrêtèrent un peu avant 17 heures et ce qui restait de population se résolut à revenir vers Beauval.

Antoine pressa le pas pour rejoindre Émilie, qui marchait en compagnie de quelques filles. Il ressentit tout de suite la réticence avec laquelle il était accueilli. On ne le regardait pas franchement, on ne lui adressait pas la parole. Avait-il exagéré en acceptant de raconter maintes fois sa petite histoire ? Lui en voulait-on d'avoir mobilisé tant d'attention ? N'y

tenant plus, il prit de force le bras d'Émilie et
la contraignit à s'éloigner de quelques pas.

— C'est Théo, finit-elle par dire.

Ça n'avait rien de surprenant.

— Il est jaloux, c'est tout.

— Oh non ! s'écria Émilie. C'est pas ça…

Elle baissait les yeux, mais au fond elle brû-
lait de dire la vérité à Antoine, qui n'eut pas
beaucoup à insister.

— Il dit comme ça que c'est toi qui as vu
Rémi en dernier et…

— Et quoi ?

La voix d'Émilie devint grave, fébrile :

— Et que Rémi venait souvent te retrouver
dans le bois…

Antoine fut traversé d'un spasme, comme s'il
était frigorifié, qu'il avait soudain pris froid.

— Et il dit… qu'au lieu de draguer l'étang
on ferait mieux d'aller fouiller du côté de
Saint-Eustache…

C'était une catastrophe.

Émilie le fixa longuement, la tête légèrement
penchée, cherchant à démêler le vrai du faux.
Antoine demeura un moment sous le coup de
cette révélation. Ce Théo était vraiment d'une
méchanceté rare, d'une jalousie sordide, il ne
vint pas à l'esprit d'Antoine que, sans le savoir,
Théo exprimait une vérité.

Ce qui emporta sa décision, ce fut le regard d'Émilie, interrogatif.

Il ne prit pas le temps de réfléchir à la situation ni à ses conséquences, il se mit à courir après le groupe. En pleine course, il tendit les deux bras qui frappèrent Théo dans le dos et lui donnèrent une poussée qui le propulsa deux mètres plus loin. Les filles se mirent à crier. Antoine se précipita sur Théo, s'installa à califourchon sur sa poitrine et commença à lui pilonner le visage, les deux poings fermés. Ça faisait des bruits que personne ne connaissait, sourds, organiques… Théo était plus grand et plus fort qu'Antoine, mais l'attaque l'avait pris totalement au dépourvu. Quand il parvint à renverser son adversaire, il avait déjà le visage en sang. Antoine se retrouva couché sur le flanc, il vit Théo s'apprêter à se relever, il fut le plus rapide. Il était debout, il regarda autour de lui, chercha une pierre, trouva un bâton assez large, fit un pas, s'en saisit et, alors que Théo venait vers lui en titubant, Antoine le leva à deux mains et le lui abattit sur le côté droit du visage.

C'était un bâton d'une quarantaine de centimètres de long, assez large, mais totalement pourri.

Il explosa sur le crâne de Théo avec un bruit spongieux. Antoine se retrouva avec, dans les mains, un morceau de bois déchiqueté de la couleur d'un champignon.

Le petit groupe était tellement sidéré par cet épisode que personne ne se soucia du ridicule de la situation. Même si son attaque se terminait de façon piteuse, Antoine venait de donner l'assaut à une autorité qui jusqu'ici n'avait jamais été contestée.

Des adultes arrivèrent pour séparer les belligérants. Les cris, l'empressement, les mouchoirs, on nettoya le sang, c'était heureusement peu de chose, une lèvre fendue.

On reprit bientôt le chemin de Beauval.

Le groupe d'enfants se sépara spontanément en deux. Il y en avait davantage du côté d'Antoine que de Théo.

Antoine se passait nerveusement la main dans les cheveux, décontenancé, dérouté par une troublante similitude… En deux jours, il avait frappé deux fois un garçon d'un coup de bâton. Le premier, celui qui ne le méritait pas, il l'avait tué.

Allait-il devenir un cogneur obtus, aveugle, comme on en voyait dans les cours de récréation ?

Il s'aperçut qu'Émilie marchait à côté de lui. Il n'aurait pas su dire pourquoi, il n'en fut pas rassuré. Cette manie des filles d'aimer les bagarreurs…

Un peu avant 17 heures, la camionnette de la gendarmerie ramena Bernadette Desmedt chez elle. La vision de cette femme tassée par l'angoisse serrait le cœur.

En attendant le retour de sa mère, Antoine alluma le téléviseur et regarda le journal, le reportage sur l'inquiétante disparition du petit Rémi Desmedt. Se succédèrent quelques plans de la ville, d'abord l'église, la mairie. Puis ce fut la rue principale. Dans une tentative de dramatisation de l'événement (un peu pathétique parce que le journaliste n'avait rien à montrer ni à dire), le reportage suivait un itinéraire partant du centre pour s'approcher de la maison du petit Rémi.

Antoine se sentit oppressé de voir ainsi défiler la rue principale, la place, l'épicerie, puis l'école…

La caméra se rapprochait non pas de la maison de l'enfant, mais de la sienne.

Ce qu'elle cherchait, ce n'était pas l'enfant, c'était lui.

Les images montrèrent enfin leur rue, la maison des Mouchotte avec ses volets d'un vert anglais, puis ce fut le jardin des Desmedt. Afin de matérialiser et d'accentuer le vide laissé par l'absence du petit garçon, la caméra fit voir son environnement, s'attardant sur la balançoire pour en souligner l'abandon, sur la porte du jardin qu'il avait dû pousser pour sortir…

Lorsque le plan large engloba un morceau du jardin des Courtin, Antoine attendit que la caméra se centre sur sa maison, qu'elle en balaye la façade, qu'elle le cherche, qu'elle le trouve enfin derrière la fenêtre, s'approche et achève sa course par un gros plan sur son visage : « Et voici le garçon qui a tué Rémi Desmedt et qui a enterré son corps dans le bois de Saint-Eustache, où la gendarmerie va le découvrir demain à la première heure. »

Antoine ne put s'empêcher de faire un pas en arrière, de courir se réfugier dans sa chambre.

Mme Courtin revint enfin de ses courses en ville, qui lui avaient pris trois fois plus de temps qu'à l'accoutumée. Antoine l'entendit fourgonner dans la cuisine puis elle monta le rejoindre. Elle avait le visage tendu.

— C'est pas un professeur du collège qu'ils ont arrêté…

Antoine abandonna son Transformers et regarda sa mère.

— C'est M. Kowalski.

7

Cette arrestation avait remué Mme Courtin et son fils. Antoine se reprochait de le penser, mais c'était plus fort que lui : si M. Kowalski était déclaré coupable – il ne se posait pas la question de savoir comment ce serait possible –, ça le gênait moins que si ç'avait été quelqu'un d'autre. Sa mère avait toujours été malheureuse de devoir travailler pour lui, il avait une mauvaise réputation et une sale tête. Les recherches qui n'avaient rien donné, l'étang qu'on avait dragué en vain, maintenant l'arrestation de Frankenstein... Antoine avait commencé à imaginer que ce cauchemar allait peut-être se terminer ainsi, qu'il resterait à l'abri, mais il y avait eu Théo, dont les sous-entendus venimeux pourraient bien mener à lui. Jusqu'où irait-il ? Et s'il en parlait à son père ? Ou aux gendarmes ?

Antoine s'en voulait d'avoir cédé à la colère, de s'être battu avec lui, il aurait dû laisser les choses en l'état, il avait été bête.

— Si je m'attendais…, murmurait Mme Courtin. M. Kowalski…

Elle était visiblement troublée par cette nouvelle.

— Tu ne l'as jamais aimé, dit Antoine, qu'est-ce que ça peut te faire ?

— Oui, bien sûr ! Mais enfin… C'est pas pareil quand on connaît les gens.

Elle resta un long moment silencieuse. Antoine pensa que sa mère imaginait les implications que cette arrestation aurait dans sa vie, dans son travail peut-être, elle était soucieuse.

— Tu travailleras ailleurs. Tu te plaignais tout le temps, tu n'avais jamais envie d'y aller.

— Ah oui ? Parce que tu crois que ça se trouve comme ça, toi, du travail !

Elle était en colère.

— Va dire ça aux ouvriers qui vont être licenciés par M. Weiser au premier de l'an… !

Cette histoire de licenciement traînait depuis des semaines dans Beauval. Lorsqu'il était interrogé, M. Weiser répondait évasivement. Il ne savait pas encore, ça dépendait de beaucoup de choses, il fallait attendre les comptes du trimestre… Les ouvriers constataient qu'au cours des deux derniers mois, les commandes s'étaient succédé à un rythme élevé, mais c'était ainsi tous les ans à l'approche de Noël. M. Weiser avait dû réembaucher, pour quelques heures par semaine, des ouvriers licenciés trois mois plus tôt, même M. Mouchotte avait repris du service pendant quelques semaines, cela compensait-il la crise de l'automne qui avait vu le carnet de commandes s'effondrer ? Personne n'y comprenait rien.

Antoine se demandait souvent si sa mère avait vraiment besoin de travailler. Elle maudissait M. Kowalski depuis quinze ans, pour gagner combien ? Antoine n'en savait rien au juste, mais ça ne devait pas être grand-chose, étaient-ils si pauvres que cela ? Mme Courtin ne s'était jamais plainte du paiement de la pension par son mari. « Au moins, sur ça, il est correct… », disait-elle parfois sans qu'Antoine comprenne très bien dans quel autre domaine elle avait des reproches à lui faire.

— Bon, c'est pas le tout, dit-elle enfin, maintenant il faut te préparer.

Mais elle dit cela en pensant à autre chose.

Dans l'alternance avec les villes voisines, la messe de Noël avait lieu, cette année-là, à Beauval, programmée à 19 h 30 parce que le curé devait courir sur les routes du département pour en dire plus de six à la suite.

Mme Courtin entretenait avec la religion des rapports prudents et fonctionnels. Elle avait envoyé Antoine au catéchisme par précaution, mais n'avait pas insisté lorsqu'il avait souhaité ne plus s'y rendre. Elle fréquentait l'église quand elle avait besoin de secours. Dieu était un voisin un peu distant qu'on avait plaisir à croiser et à qui on ne rechignait pas de demander un petit service de temps à autre. Elle allait à la messe de Noël comme on visite une vieille tante. Il entrait aussi dans cet usage utilitaire de la religion une large part de conformisme. Mme Courtin était née ici, c'est ici qu'elle avait grandi et vécu, dans une ville étriquée où chacun est observé par celui qu'il observe, dans laquelle l'opinion d'autrui est un poids écrasant. Mme Courtin faisait, en toutes choses, ce qui *devait* se faire, simplement parce que c'était ce que, autour d'elle, tout le monde faisait. Elle tenait à sa réputation comme elle tenait à sa maison et peut-être même comme elle tenait à sa vie car elle serait sans doute morte d'une faillite de sa respectabilité. La messe de minuit n'était, pour Antoine, qu'une obligation parmi toutes celles auxquelles il sacrifiait toute l'année pour que sa mère reste, à ses propres yeux, une femme fréquentable.

Comme partout, les fidèles n'étaient plus à Beauval aussi nombreux qu'avant. Si, dans l'année, les messes dominicales regroupaient un lot appréciable de pratiquants, c'est parce qu'ils convergeaient à la fois de Marmont, de Montjoue, de Fuzelières, de Varenne, de Beauval.

L'activité religieuse était assez saisonnière. La plupart des fidèles revenaient à la messe lorsque l'agriculture était en difficulté, quand les prix du bovin entraient en récession ou que les usines de la région préparaient des plans de licenciement. L'église proposait une prestation, on se comportait comme des consommateurs. Même les grands événements cycliques comme Noël, Pâques ou l'Assomption n'échappaient pas à cette règle utilitaire. C'était la manière, pour les adhérents, d'acquitter l'abonnement leur permettant, dans l'année, de recourir aux services à la demande. À ce titre, la messe de Noël remportait toujours un beau succès.

Dès 19 heures, de nombreux habitants de Beauval convergèrent vers le centre-ville. Ils auraient pu se féliciter de voir leur église aussi pleine, mais ce plaisir était gâché par le fait qu'il y avait beaucoup de gens qui n'étaient pas d'ici.

Les femmes entraient dans la nef dès leur arrivée ; les hommes, eux, traînaient toujours quelques minutes sur le parvis, on fumait une cigarette, on serrait des mains, on demandait des nouvelles, on croisait des clients qu'on ne voyait plus, des femmes avec qui on avait couché autrefois, quelques camarades, même si, avec le temps, les relations s'étaient distendues.

La disparition du petit Rémi Desmedt avait aussi provoqué un effet de curiosité qui expliquait le succès de l'événement. Tout le monde avait vu le reportage sur Beauval au journal télévisé et ceux qui n'y habitaient pas tentaient, en s'y rendant, d'associer deux images disparates, ce qu'on connaissait de la ville qui n'avait rien de palpitant et l'écho d'un malheur qui, au fil des heures, prenait une dimension tragique.

Trente heures plus tard, la disparition de Rémi devait être considérée comme hautement inquiétante.

Chacun anticipait l'issue.

Quand allait-on le retrouver ? Et que trouverait-on ?

Sur le parvis, on ne parlait que de ça et l'arrestation de M. Kowalski aimantait littéralement les conversations. Mme Mouchotte écarquillait ses grands yeux bleus en écoutant Claudine qui, miraculeusement, s'était trouvée dans la boutique quand les gendarmes étaient arrivés.

— Ça n'a pas duré cinq minutes, je vous jure. Il en menait pas large, le charcutier…

Mme Courtin demanda :

— Mais… qu'est-ce qu'on lui reproche, au juste ?

Une histoire d'alibi. Quelqu'un avait entendu dire que sa camionnette avait été vue près de Beauval, arrêtée en bordure de la forêt.

— Où était-il donc à ce moment-là, cet animal ? demanda quelqu'un.

— C'est pas une preuve, ça ! dit Mme Courtin. Je ne veux pas le défendre, ça, merci bien, mais quand même ! Si on ne peut plus circuler en voiture sans être accusé d'enlever des enfants, alors moi, je…

— S'agit pas de ça ! dit Mme Antonetti.

Elle parlait d'une voix aiguë et articulait chaque syllabe comme s'il s'agissait de la dernière, ce qui donnait à sa conversation un ton haché et péremptoire qui en impressionnait plus d'un. Son intervention fut très remarquée, tout le monde se tourna vers elle :

— C'est surtout que ce Kowalski (chez qui je ne mets d'ailleurs jamais les pieds, manquerait plus que ça…) n'est pas capable de dire ce qu'il a fait dans les heures où l'enfant a disparu ! On voit sa voiture, mais lui, il ne se souvient pas de ce qu'il a fait…

Elle bénéficiait d'une telle autorité que personne n'aurait songé à lui demander d'où elle tenait cette information. D'autant qu'elle était toujours l'une des premières et des mieux informées de Beauval, ce qui lui permit de conclure de l'air de quelqu'un dont la religion est faite :

— C'est quand même étrange, non ?

Mme Courtin hochait la tête, en effet, c'est étrange, ça semble même suspect... Mais elle ne paraissait pas totalement convaincue.

Antoine abandonna sa mère et fila rejoindre les quelques copains du collège endimanchés qui étaient de corvée de messe. Émilie portait une robe à fleurs qu'on aurait dite taillée dans un tissu à rideaux, et elle semblait plus frisée encore que d'habitude, plus blonde, plus vive, jolie comme pas possible, ce qui était confirmé par l'indifférence très spectaculaire de tous les garçons présents. Ses parents, fidèles parmi les plus fidèles, ne rataient jamais une messe, Émilie se tapait le catéchisme depuis son plus jeune âge. Mme Mouchotte pouvait aller à l'église trois fois dans la journée, son mari était le seul homme chantant dans le chœur, il avait une voix de stentor qu'il déployait sans vergogne par-dessus toutes les autres avec une puissance qui traduisait la ferveur de sa foi. Émilie, elle, ne croyait pas en Dieu, mais elle vouait à sa mère un tel attachement qu'elle se serait faite nonne si celle-ci le lui avait demandé.

Il se fit un grand silence lorsque Antoine arriva dans le groupe. Théo, qui sentait la cigarette, regardait ostensiblement ses pieds. Sa lèvre était gonflée et d'un rouge sombre avec une petite croûte sur le dessus. Il ne put s'empêcher de jeter à Antoine un regard noir de rancune. Mais il était assez malin pour comprendre que l'arrestation soudaine de Frankenstein occupait davantage les esprits que ses démêlés avec Antoine. Il fut d'ailleurs immédiatement interpellé par Kevin :

— Alors ! T'as bien vu que c'était pas M. Guénot, tu dis n'importe quoi !

Théo, entre autres défauts, n'avait jamais tort. Sur ce plan, il était comme son père, c'était la marque de fabrique chez les Weiser, on ne se trompait jamais. Dans cette circonstance, il était plus que jamais essentiel pour lui de reprendre la main.

— Pas du tout ! répliqua-t-il. Ils ont d'abord arrêté Guénot, ils l'ont relâché, mais ils l'ont à l'œil, je peux te le dire. Il est pédé, c'est sûr et certain. C'est un drôle de type…

— N'empêche ! reprit Kevin, trop content, pour une fois, d'avoir prise sur le fils du maire.

— N'empêche quoi ? N'empêche quoi ? s'emporta Théo.

— Bah, n'empêche qu'ils ont arrêté Frankenstein !

Un murmure d'approbation parcourut le petit groupe. Cette arrestation confortait parfaitement l'opinion générale, magnifiquement résumée par Kevin en une phrase :

— Avec la tête qu'il a…

Théo, qui avait perdu de son ascendant, n'entendait pas abandonner la partie et tenta une manœuvre brillante de contournement en déclarant :

— J'en sais plus que vous tous sur ce truc ! Le gosse… il est mort !

Mort…

Le mot créa une sensation vertigineuse.

— Comment ça, il est mort ? demanda Émilie.

La conversation s'interrompit. Mᵉ Vallenères venait d'arriver et le spectacle du notaire poussant sa fille dans son fauteuil roulant forçait au silence. Quinze ans, maigre comme un clou, ses poignets seraient passés dans un rond de serviette. Sa principale occupation était de décorer son fauteuil. On ne la voyait jamais faire, mais on disait qu'elle avait commandé un masque spécial pour pouvoir le peindre à la bombe. Ce fauteuil était une curiosité sans cesse renouvelée, elle y avait fait poser récemment de grandes antennes radio flexibles destinées aux voitures, on aurait dit un énorme insecte multicolore. Certains enfants l'appelaient Mad Max. La gaieté de sa réalisation tranchait avec son visage, toujours concentré, indifférent au monde, on disait qu'elle était bigrement intelligente, mais qu'elle mourrait jeune, et c'est vrai, il était difficile d'imaginer qu'un de ces jours, un gros coup de vent ne l'emporterait pas. Elle avait le même âge que bien des enfants de Beauval, mais elle ne fréquentait personne. Ou peut-être que personne ne la fréquentait. Elle avait une institutrice à demeure depuis le début de sa maladie.

Ce fauteuil extravagant entrant dans l'église avait l'air d'une provocation. On se demandait si Dieu n'allait pas lui reprocher de manquer de tenue. Son père et elle étaient suivis de Mme Antonetti, cette vipère qui n'aurait raté pour rien au monde l'occasion d'observer ce petit monde qu'elle haïssait depuis la nuit des temps, jusque dans ses fibres les plus profondes.

— On est sûr qu'il est mort ? reprit Kevin à voix presque basse lorsque tous furent passés.

La question était idiote puisque le corps n'avait pas été retrouvé, mais elle traduisait bien l'émoi dans lequel cette idée de meurtre avait plongé le groupe. Le mot vous coupait le souffle. Antoine se demanda si Théo avait dit cela pour conserver la vedette ou s'il détenait des informations.

— Et comment tu le sais, d'abord ? insista Kevin.

— Mon père..., commença Théo.

Il laissa le mot flotter dans l'air, puis il regarda le sol avec gravité en faisant non de la tête, en homme qui sait, mais qui n'a pas le droit de parler. Antoine n'y tint plus :

— Quoi, ton père ?

Depuis la bagarre de l'après-midi, une intervention d'Antoine n'avait plus le même poids. Elle contraignait Théo à la surenchère. Il jeta un œil par-dessus son épaule pour vérifier qu'il n'était pas entendu.

— Il a parlé avec le capitaine de gendarmerie... On sait comment ça s'est passé.

— Qu'est-ce qu'on sait ?

— Disons que... (Théo prit une longue respiration patiente)..., on a des preuves. Maintenant, on sait où chercher le corps. C'est une question d'heures... Mais je ne peux rien dire de plus.

Il regarda Antoine, Émilie, les autres et ajouta :

— Désolé...

Puis il tourna lentement les talons, traversa le parvis et entra dans l'église.

111

C'était du bluff évidemment, mais pourquoi Théo avait-il fixé Antoine ainsi en premier ? Émilie prit entre le pouce et l'index une mèche de cheveux qu'elle commença à tortiller pensivement. Si elle sortait avec Théo (ça restait un mystère pour Antoine), était-elle aussi dans la confidence ? Elle n'avait pas participé à la discussion, elle n'avait rien dit… Antoine n'osait pas la regarder.

— Bon, j'y vais…, dit-elle enfin.

Elle quitta le groupe et entra à son tour dans l'église.

Antoine eut envie de détaler. C'est sans doute ce qu'il aurait fait si sa mère n'était apparue à cet instant.

— Allez, Antoine… !

Autour de lui, on écrasa sa cigarette, on ôta son chapeau, sa casquette, puis la porte de l'église se referma.

Voudrais-tu, Marie, voudrais-tu porter l'enfant attendu depuis longtemps par les gens de ton pays… ?

Antoine occupait, à côté de sa mère, la place située près de la travée centrale et il avait, presque devant lui, la nuque d'Émilie qui ordinairement lui faisait tant d'effet, sauf ce soir-là. Les mots de Théo lui tournaient dans la tête.

On disposait de preuves… Instinctivement, il tâta son poignet. Si c'était vrai, pourquoi attendait-on ? Pourquoi n'était-on pas venu le chercher tout de suite ?

Cette messe peut-être…

Bienvenue à tous, en cette nuit de Noël où nous sommes heureux de célébrer la naissance de Jésus.

Le curé était un jeune homme imberbe, replet, aux lèvres charnues et au regard fiévreux. Il se déplaçait un peu de biais comme s'il était timide, qu'il avait peur de déranger, mais on le savait animé d'une foi étroite, austère et exigeante, qui contrastait étonnamment avec son physique. On l'imaginait facilement nu, ventru et empâté, se flageller dans une cellule monacale.

… celui qui nous appelle et nous apporte la Joie, la Paix et l'Espérance.

Quelques femmes, à gauche de l'autel, étaient groupées autour de M. Mouchotte, qui les dominait de la tête et des épaules avec, devant eux, le petit orgue que Mme Kernevel faisait résonner là depuis plus de trente ans.

Quelques têtes se tournaient régulièrement vers la porte de l'église. On était bien déçu de ne pas voir le couple Desmedt. On comprenait, mais tout de même, la messe de Noël... Les têtes se tournaient vers la porte, on chuchotait.

Puis enfin, ils arrivèrent.

Ils se tenaient par le bras comme de vieux mariés. Bernadette donnait l'impression de s'être tassée de plusieurs centimètres. Son visage était crayeux, de larges cernes se dessinaient sous ses yeux. M. Desmedt, lui, gardait les lèvres serrées, en homme qui se maîtrise avec difficulté. Valentine, leur fille, les suivait, vêtue d'un pantalon rouge qui semblait extravagant dans cette église et dans cette circonstance. Émilie, relayant l'opinion générale, disait qu'elle était une « Marie-couche-toi-là », ce qui choquait Antoine, mais le laissait rêveur.

Il sentit, à leur passage, la lourde odeur de M. Desmedt, âpre et brutale.

Lorsqu'ils l'eurent dépassé, Antoine vit le derrière rond et rouge de Valentine dodeliner avec une expressivité folle qui lui fit dans la bouche comme un goût de salive étrangère.

Seigneur Jésus envoyé par le Père pour guérir et sauver les hommes...

114

La famille Desmedt remontait lentement la longue travée centrale.

Bien que la messe ne se fût pas interrompue pour eux, à leur passage il se créait un silence différent, bruissant, respectueux, admiratif, douloureux et solennel.

Seigneur, tu as fait resplendir cette nuit très sainte des clartés de la vraie lumière ; de grâce, accorde-nous qu'illuminés dès ici-bas par la révélation de ce mystère, nous goûtions dans le ciel la plénitude de sa joie. Par Jésus-Christ, ton Fils, notre Seigneur.

L'arrivée des Desmedt avait ressemblé à l'entrée de pénitents. Bernadette peinait à marcher. M. Desmedt, lui, avançait vers le transept lentement, mais avec une résolution animale, le front baissé, la chaussure lourde, donnant l'impression qu'il allait à la rencontre du prêtre, prêt à en découdre avec Dieu lui-même.

Arrivés au bout, ils s'arrêtèrent. Il n'y avait plus de place au premier rang. Ils se retournèrent alors vers la nef, comme s'ils s'apprêtaient à la traverser dans l'autre sens et à ressortir. Valentine s'était portée à la hauteur de sa mère. Tous trois alignés faisaient face à l'assemblée des fidèles. Et il y avait, dans le tableau de ce taureau retenant sa fureur, de cette femme dévastée et de leur fille immature qui transpirait le sexe et l'échec, quelque chose de déchirant. On aurait dit que cette famille, à laquelle manquait ostensiblement le petit Rémi, offrait à Dieu le spectacle de sa détresse.

Personne ne savait ce qui allait se passer. Antoine, bien qu'il fût loin, ressentit physiquement l'énergie farouche qui émanait de M. Desmedt lorsqu'il redressa la tête et fixa l'assistance. Il ne put s'empêcher de couler un regard vers M. Mouchotte qui, depuis l'épisode de l'usine où M. Desmedt l'avait giflé, vouait au père de Rémi une haine dévorante. Il est vrai qu'à force de faire des histoires, M. Desmedt s'était attiré à Beauval des inimitiés solides. Devant le spectacle qu'il offrait, le premier rang fut néanmoins saisi d'une brusque agitation, quelques personnes se levèrent précipitamment pour libérer des places et longèrent la nef par les bas-côtés pour se rendre au fond de l'église. La famille Desmedt s'installa. Face au prêtre qui officiait.

Oui, un enfant nous est né, un Fils nous est donné...

Lorsque les Desmedt eurent disparu à la vue d'Antoine, Émilie se retourna vers lui et le fixa avec une étrange insistance.

116

Était-ce une question ? Que savait-elle ?

Il chercha fébrilement le sens de ce regard, mais déjà elle s'était détournée. Était-ce un message ? Que voulait-elle lui dire ?

Elle était restée étrangement silencieuse quand Théo avait dit : « On sait où chercher le corps. » Instinctivement, il regarda vers la porte de l'église.

« On a des preuves »...

Ce fut alors comme une déflagration : Antoine comprit que, du regard, Émilie lui conseillait de ne pas rester là.

De s'enfuir ! C'est ça ! Ils attendaient la fin de la messe de Noël pour l'arrêter. Il était tombé dans un piège. Dehors, il y aurait un cordon de gendarmerie...

Demain sera détruit le péché de la terre et sur nous régnera le Sauveur du monde.

Antoine serait coincé dans la foule des fidèles piétinant vers la sortie. Peu à peu, on se retournerait, cherchant du regard ce qui provoquait ainsi la venue des forces de l'ordre en pleine nuit, devant l'église, un soir de Noël. Et bientôt, Antoine serait seul à marcher dans la travée, tout le monde s'écarterait sur son passage...

Commenceraient les cris...

Il n'aurait plus que le choix de se livrer aux gendarmes ou d'attendre que derrière lui, le pas lourd de M. Desmedt arrive à sa hauteur. Antoine se retournerait. Le père de Rémi aurait son fusil épaulé, le canon à la hauteur de son front.

Antoine poussa un cri, mais qui fut couvert par un autre.

Rémi !

Au premier rang, Bernadette s'était levée pour appeler son petit. Tirée par la manche par Valentine, elle reprit lentement sa place.

Mme Kernevel, surprise par ce cri, cessa de jouer, les voix du chœur s'éteignirent en désordre.

Celle, tonitruante de M. Mouchotte se fit alors entendre, immédiatement suivie de l'orgue, et le chœur reprit le chant interrompu avec une détermination destinée à enjoindre à tous de serrer les rangs face à la confusion.

Dieu, notre Sauveur, nous montre en permanence Sa bonté et Sa tendresse pour nous. C'est Lui qui nous a sauvés ! Lui qui...

Le curé poursuivait son office et accueillait chacune de ces manifestations, l'entrée des Desmedt, les errements de l'orgue et du chœur, etc., avec un sourire infinitésimal qui exprimait son allégresse de se voir chargé par Dieu de représenter la rigueur morale face à une assemblée qui visiblement perdait ses repères. L'aspect chaotique de la cérémonie confirmait le besoin de ses ouailles de trouver en lui un frère, un père qui montrerait le chemin. Dépassés par des circonstances qui échappaient à leurs catégories, les fidèles, eux, suivaient la messe avec une résignation de condamnés.

Antoine s'était calmé, non, on ne diffère pas l'arrestation d'un assassin d'enfant, c'est impossible, quand on est sûr et certain, on envoie la gendarmerie et on l'arrête. Quant aux affirmations de Théo, elles étaient uniquement destinées à ne pas lui faire perdre la face. Même les sous-entendus qu'il avait répandus la veille étaient rendus caducs par l'information essentielle, l'arrestation de Frankenstein. Antoine savait que le charcutier de Marmont n'avait rien à avouer, ils ne le garderaient pas bien longtemps. Que se passerait-il ensuite ?

… un ange est venu dire à des bergers : « Je viens vous annoncer une bonne nouvelle, une grande joie pour tout le peuple : aujourd'hui vous est né un Sauveur. Il est le Messie, le Seigneur. »

Le jeune prêtre qui pensait tenir son assemblée bien en main entama son homélie d'une voix grave, responsable, porté par la volonté divine qu'il était chargé de transmettre.

Il savait, évidemment, ce qui se passait à Beauval depuis la veille (il était réputé être l'homme le mieux informé du canton), il connaissait le petit Rémi qui accompagnait sa mère à la messe dominicale (le mari, on le voyait plus rarement). En cette soirée de Noël, il le considérait sans doute comme une sorte d'angelot. Il fixait, dans les premiers rangs, les parents et autour d'eux des visages graves et douloureux, comme si, par capillarité, leur chagrin gagnait l'assistance tout entière. Il fut ébranlé par ce constat : rien ne se lisait de la joie que l'arrivée de Jésus était censée provoquer en eux.

C'était clair, aveuglés par l'actualité éprouvante, les fidèles ne comprenaient pas le sens de ce qu'ils vivaient. Il observa un long silence.

— La vie nous met constamment à l'épreuve..., reprit-il enfin.

Sa voix soudain était forte et claire. Elle résonnait dans l'église avec un effet d'écho qu'il accentuait en traînant légèrement sur les dernières syllabes.

— Mais souvenez-vous : « *Le fruit de l'Esprit, c'est l'amour, la joie, la paix, la patience…* » La patience ! Attendez, et vous verrez !

À en juger par les mines de ses ouailles, le message n'était pas encore passé. Il fallait expliquer. Alors, le jeune curé se lança, vibrant de détermination ; il y avait, chez cet abbé de campagne, un missionnaire qui ne demandait qu'à éclore.

— Mes très chers frères, je sais votre douleur. Je la partage. Et je souffre avec vous.

C'était plus clair, les regards montraient que ce langage-là rencontrait un écho. Il en fut encouragé.

— Mais la souffrance n'est pas un accident… Qu'est-ce que la souffrance ? C'est le plus merveilleux instrument de Dieu, car il sert à nous rapprocher de Lui et de Sa perfection.

Il avait admirablement modulé son « merveilleux ». Il était lancé, il avait abandonné le discours longuement préparé dans le but de le répéter dans toutes les églises du diocèse. Sa foi maintenant parlait pour lui. Dieu le guidait. Jamais encore il ne s'était senti investi d'une plus haute mission.

— Oui ! Car la souffrance, la douleur et le chagrin sont notre pénitence…

Il laissa filer un silence, posa les coudes sur son pupitre, se pencha vers l'assemblée et poursuivit d'une voix douce :

— Et à quoi sert la pénitence ?

Cette question fut suivie d'un long silence. Personne n'aurait été surpris de voir une main se lever, comme à l'école. Le curé se redressa, brandit soudain l'index vers le ciel et lança d'une voix sans appel :

— À triompher du mal qui existe en chacun de nous ! Dieu nous offre les épreuves pour nous permettre de Lui montrer la profondeur de notre foi !

Il se tourna et articula quelques mots silencieux à destination de Mme Kernevel, qui répondit par un grand signe de tête.

L'orgue retentit aussitôt, suivi de la voix claironnante de M. Mouchotte. Le chœur attrapa le chant d'action de grâces en cours de route :

Notre Dieu fait toujours ce qui est bon pour l'homme,
Alléluia, bénissons-le !
Il engendre le corps des enfants de sa grâce,
Alléluia, bénissons-le !
Pour lui rendre l'amour dont il aime ce monde...

Les fidèles, un à un, rejoignirent le chœur. Il était difficile de savoir si le chant exerçait sur eux une fonction consolatrice, cicatrisante ou s'il n'était que l'expression observable de leur obéissance, mais le curé était heureux, il avait fait ce qu'il fallait.

Après l'envoi et la dernière prière, on le vit déplier un papier comme il le faisait ordinairement pour les annonces paroissiales.

— Pour tenter de retrouver notre cher petit Rémi Desmedt, une battue aura lieu demain matin. La gendarmerie appelle à y participer tous les bénévoles qui le pourront. Le rendez-vous est fixé devant la mairie à 9 heures.

Antoine fut assommé par cette annonce.

On allait ratisser le bois, on allait trouver Rémi. Cette fois, impossible d'y échapper.

L'information avait aussi produit son effet sur les fidèles, un brouhaha se fit, que le jeune prêtre calma d'un geste autoritaire.

Puis il se lança dans la bénédiction, il devait filer vers Montjoue, il n'était pas en avance.

8

À la sortie de l'église, les hommes posaient une main sur l'épaule de M. Desmedt et lui glissaient des mots empruntés. Bernadette était partie droit devant elle sans regarder personne. Quant à Valentine, leur fille, elle restait debout sur le trottoir d'en face, on se demandait ce qu'elle attendait. Les mains dans les poches de son blouson, elle regardait la foule quitter l'église avec une indifférence étudiée.

Antoine, lui, avait mal au ventre, il avait peur, il n'avait personne à qui parler, il se sentait effroyablement seul. Il n'avait pas traîné pour rentrer. Il s'était faufilé à travers les groupes.

Théo, entouré de sa cour habituelle, laissait encore filtrer quelques indiscrétions qui faisaient, autour de lui, écarquiller les yeux. Antoine poursuivit son chemin d'un pas pressé. Entre Théo et lui, l'inimitié se ressentait jusque dans l'air qui les enveloppait. Quand Antoine serait enfin confondu, Théo serait le roi du collège, de la ville, plus personne, jamais, ne pourrait discuter son autorité.

Antoine se sentait battu, écrasé, laminé.

Devant la porte du jardin, il se retourna et aperçut, loin derrière, sa mère qui avait pris le bras de Bernadette. Elles marchaient lentement.

La vision de ces deux silhouettes douloureuses lui fit un effet dévastateur : côte à côte Mme Desmedt, pleurant son fils assassiné, et Mme Courtin, la mère de l'assassin…

Antoine poussa la porte.

La maison était remplie de l'odeur de la volaille que sa mère avait glissée dans le four en partant. Au pied du sapin, il y avait quelques paquets qu'elle s'ingéniait toujours à déposer sans qu'il le remarque. Il n'alluma pas. La pièce resta seulement éclairée par la guirlande électrique intermittente. Il avait le cœur lourd.

Après l'épreuve de la messe, la perspective du réveillon maternel le terrassait.

Peu de choses échappaient à la manie de Mme Courtin de ritualiser tous les événements de la vie quotidienne et la soirée de Noël se déroulait de la même manière exactement chaque année. Ce qui, longtemps, avait été pour Antoine une joie sincère et naïve était devenu, au fil des années, une formalité, puis un pensum. Il faut dire, c'était terriblement long. On regardait le programme sur la Une, on dînait à 22 h 30, les cadeaux à minuit… Mme Courtin n'avait jamais fait la différence entre le réveillon de Noël et celui du jour de l'an, elle les organisait sur le même modèle, aux cadeaux près.

Antoine monta dans sa chambre chercher ce qu'il avait acheté pour sa mère. Ça aussi, c'était une sacrée tâche, de lui trouver chaque année quelque chose de différent. Il sortit de son armoire un paquet, il n'arrivait pas à se rappeler ce que c'était. L'étiquette dorée collée dans le coin indiquait « Tabac Loto Cadeaux – 11, rue Joseph-Merlin », c'était le magasin de M. Lemercier, il y avait une vitrine, à gauche en entrant, avec des couteaux, des réveils, des napperons, des carnets… Mais Antoine ne parvenait pas à se souvenir de ce qu'il y avait acheté cette année.

Il entendit sa mère pousser la porte du jardin, il dégringola l'escalier et posa son paquet avec les autres.

Mme Courtin accrochait son manteau.

— Oh, là, là, quelle histoire…

Le retour au bras de Bernadette l'avait retournée. Cette seconde nuit tombée sur l'absence du petit Rémi, cette messe, ce curé qui vous disait de vous préparer à affronter le pire, bon, il ne l'exprimait pas comme ça, mais c'était quand même l'intention, l'arrestation de quelqu'un qu'elle connaissait, tout cela faisait que Blanche Courtin butait sur quelque chose qui dépassait son entendement.

Elle ôtait son chapeau, accrochait son manteau, enfilait ses chaussons en hochant la tête.

— Je te demande un peu…

— Quoi ?

Elle attachait son tablier de cuisine.

— Enlever un petit bonhomme comme ça…

— Oh, arrête, maman… !

Mais Mme Courtin était lancée. Pour comprendre, elle avait besoin de se créer des images :

— Enfin, tu imagines ça, toi, enlever un gamin de six ans… ? Et pour quoi faire, d'abord… ?

Une vision l'assaillit. Elle se mordit le poing. Elle fondit en larmes.

Antoine, pour la première fois depuis des années, eut envie de venir près d'elle, de la prendre dans ses bras, de la rassurer, de lui demander pardon, mais le visage de sa mère, dévasté, lui retournait le cœur, il n'osa pas bouger.

— On va finir par le retrouver mort, ce petit, c'est sûr, mais dans quel état…

127

Elle avait replié les pans de son tablier de cuisine pour s'essuyer les yeux. Antoine, effondré, quitta la pièce, monta dans sa chambre en courant et se jeta sur son lit. À son tour, il éclata en sanglots.

Il n'entendit pas sa mère arriver. Il sentit seulement sa main qui se posait sur son cou. Il ne la chassa pas. Cet instant était-il celui des aveux ? Antoine, le visage plongé dans son oreiller, le désira plus que jamais, déjà il cherchait ses mots. Mais l'instant de la délivrance n'était pas arrivé.

Mme Courtin disait :

— Mon pauvre grand, ça t'en fait de la peine, à toi aussi, cette histoire... Il était sacrément gentil ce petit, quand même...

Maintenant, elle parlait de Rémi au passé. Elle resta ainsi un long moment à méditer sur cette cruauté, tandis qu'Antoine écoutait les battements du sang dans ses tempes, tellement sourds qu'il en avait mal à la tête.

Pour la première fois, le rituel de fin d'année fut bousculé.

Mme Courtin alluma la télévision, mais ne la regarda pas. Le chapon était aussi volumineux que les années précédentes (il fallait absolument qu'il ressemble à une dinde américaine, énorme, comme dans les dessins animés, on en

128

mangeait toute la semaine), on se mit à table sans se soucier de l'heure.

Antoine n'avala rien. Sa mère mâchonna un morceau de blanc, les yeux sur l'écran. La musique de variété emplit la salle à manger, avec des rires, des exclamations ; des présentateurs resplendissants de bonheur tenaient leur micro comme des boules de glace et hurlaient leurs slogans de circonstance.

Sa mère, l'esprit ailleurs, débarrassa son assiette sans un mot, ce qui ne lui ressemblait pas. Elle apporta la bûche de Noël, le genre de pâtisserie qu'Antoine avait toujours détesté, puis elle dit d'une voix pleine de bonhomie et qui se voulait entraînante :

— Et si on les regardait enfin, ces cadeaux ?

Pour une fois, son père ne s'était pas trompé. Le colis contenait bien la PlayStation qu'il lui avait demandée, mais Antoine n'en éprouva qu'une joie abstraite parce qu'il se sentait seul. Avec qui jouerait-il ? Il ne parvenait pas à imaginer que demain pouvait exister. Quand il serait arrêté, aurait-il le droit de l'emporter avec lui ?

— Tu penseras à appeler ton père, rappela Mme Courtin en ouvrant son propre paquet.

Elle surjouait l'impatience, qu'est-ce que ça peut bien être... Antoine se souvint enfin de ce

129

qu'il avait acheté : un petit chalet en bois dont le toit s'ouvrait et faisait de la musique.

— Quelle merveille ! s'exclamait déjà sa mère. Mais où l'as-tu trouvé, c'est superbe !

Elle remonta le mécanisme et écouta l'air en souriant, fouillant dans sa mémoire. C'était le genre de musique que tout le monde a entendu mille fois sans se soucier de son titre.

— Ah, je connais ça, murmurait Mme Courtin en cherchant le mode d'emploi.

Elle lut :

— *Edelweiss* (R. Rodgers). Ah oui, peut-être...

Elle se leva, embrassa Antoine qui avait commencé à connecter sa PlayStation. Venant de son père, il fallait bien que quelque chose ne soit pas conforme : il avait souhaité *Crash Team Racing* et c'était *Gran Turismo*, la version de l'an passé.

Mme Courtin acheva de débarrasser la table, fit la vaisselle, puis elle revint dans le salon avec le verre de vin qu'elle s'était servi pendant le repas et auquel elle n'avait pas touché. Elle vit Antoine la manette de son jeu en main, mais les yeux dans le vague, il fixait un point obscur quelque part au-delà du mur. Elle ouvrait la bouche pour l'interroger lorsque la sonnerie de la porte retentit.

Antoine sursauta immédiatement, affolé.

Qui cela pouvait-il être, un soir pareil, à une heure pareille… ?

Même Mme Courtin, qui n'était pourtant pas craintive, s'avança dans le couloir avec réticence. Elle bascula l'œilleton, posa son front contre la porte et ouvrit précipitamment.

— Valentine… !

La jeune fille s'excusait.

— C'est ma mère, elle s'est enfermée dans sa chambre, elle n'ouvre à personne, elle ne répond pas… Papa demande si…

— J'arrive !

Mme Courtin fit quelques allers-retours de l'entrée à la cuisine, dégrafant son tablier, cherchant son manteau…

— Mais entre donc, Valentine !

De près, la jeune fille n'avait pas tout à fait la tête qu'Antoine lui avait vue plus tôt dans la soirée, cette sorte de moue condescendante, ce regard dédaigneux. Son rouge à lèvres, d'une teinte très soutenue, faisait ressortir la pâleur de son visage. Ses yeux, soulignés d'un large trait d'un bleu sombre, étaient mouillés. Elle fit un pas vers le salon, regarda Antoine qui se leva. Elle se contenta d'un signe de tête auquel il répondit d'un bref mouvement de main. Il fixait la jeune fille, qui maintenant prenait un air plus détaché, comme si elle était seule, que personne ne la regardait.

Elle portait les mêmes vêtements que plus tôt à la messe, ce jean rouge, ce blouson en Skaï blanc qu'elle ouvrit avec un soupir, comme si elle prenait soudain conscience de la chaleur excessive qui régnait dans la pièce, découvrant un pull en laine mohair rose qui épousait étroitement une poitrine qu'Antoine trouva incroyablement ronde. Il se demandait comment des seins pouvaient être ainsi, il n'en avait jamais vu de comme ça, aussi ronds. On en distinguait même la pointe à travers la laine. Son parfum s'inspirait d'une fleur connue, savoir laquelle…

— Mais, demanda Mme Courtin, son manteau déjà sur le dos, tu n'es pas prêt ?

— Je viens aussi ? demanda Antoine.

— Dame oui, enfin ! Dans les circonstances…

Elle regarda Valentine, gênée.

Antoine ne comprenait pas en quoi « les circonstances » rendaient sa présence indispensable. Disait-elle cela parce qu'il y avait Valentine ?

— Bon, moi je file, tu me rejoins, Antoine, hein ?

La perspective d'entrer chez les voisins, de se trouver face à M. Desmedt, lui ravageait le ventre.

La porte claqua.

Du regard, il chercha une issue.

— C'est quoi ?

Il se retourna vivement. Valentine n'avait pas suivi Mme Courtin, elle était là, devant lui. Elle avait en main la manette de sa PlayStation, les deux poignées dirigées vers le plafond. Elle empoigna l'une d'elles, comme elle aurait fait avec un manche de marteau et en affectant un air de profonde curiosité. Puis sa petite main fine se mit à la palper, à la suivre d'un index tendu comme si elle la découvrait et voulait en mesurer le poli, la texture, mais faisant cela, elle avait rivé son regard dans celui d'Antoine.

— C'est quoi ? répéta-t-elle.

— C'est… pour jouer, articula Antoine.

Elle sourit et le fixa, sans cesser de manipuler le joy-stick.

— Ah, pour jouer…

Antoine approuva vaguement, puis il détala, grimpa l'escalier à toute vitesse, entra dans sa chambre, prit une large respiration, son cœur cognait à une vitesse folle. Il chercha ce qu'il était venu faire. Ah oui, ses chaussures. Il s'assit sur son lit.

L'épuisement s'empara de lui une nouvelle fois, il ne put résister à la tentation de s'allonger, de fermer les yeux.

Il revoyait la main de Valentine, il sentait encore sa présence magnétique. Il était saisi d'un trouble si intense et douloureux qu'il retrouva sa hâte.

Hâte de se faire prendre, d'être arrêté.

Hâte d'avouer. D'être enfin débarrassé. De pouvoir dormir, dormir.

Les effrayantes conséquences de ses aveux s'estompaient de plus en plus face à l'impossibilité de vivre ainsi, dans cette terreur, avec ces images. Dès qu'il fermait les yeux, comme maintenant, Rémi lui apparaissait.

Toujours la même image.

Le petit garçon allongé dans le trou noir qui lui tendait les mains...

Antoine !

Ou alors il ne restait plus que la main qui tentait de s'agripper et la voix de Rémi qui s'éloignait, qui semblait fondre.

Antoine !

— Déjà couché ?

Antoine se redressa comme s'il avait reçu une décharge électrique.

Valentine se tenait dans l'encadrement de la porte, elle avait retiré son blouson, l'avait jeté négligemment sur son épaule et le retenait de son index replié.

Elle examina la chambre avec une curiosité qui n'avait rien à voir avec de la curiosité et s'avança de quelques pas, d'une démarche fluide et dansante qu'Antoine ne lui connaissait pas. Le parfum qu'il avait perçu tout à l'heure envahissait tout l'espace.

Valentine ne le regardait pas. Elle déambulait lentement dans la chambre, comme une visiteuse de musée distraite et indifférente.

Antoine avait très chaud et cherchait une contenance. Il se pencha, attrapa ses chaussures et commença à en nouer les lacets, le front bas, le regard rivé au sol.

Il sentit Valentine s'approcher, entrer dans son champ de vision pourtant fermé autant qu'il était possible. Elle se planta devant lui, les jambes légèrement écartées ; il ne voyait que ses tennis blanches, le bas de son pantalon rouge légèrement mouillé. S'il avait levé la tête, il aurait eu le regard au niveau de sa ceinture.

Il poursuivit sa tâche, mais ses mains, tremblantes, ne lui obéissaient plus, une érection presque douloureuse l'avait saisi. Valentine, elle, ne bougeait pas. Elle semblait attendre avec patience qu'il en ait enfin terminé. Alors d'un bond, Antoine se leva, la contourna pour éviter de la toucher, mais il lui restait si peu d'espace qu'il perdit l'équilibre et chuta sur son lit. Il se retourna avec la vivacité d'un poisson hors de l'eau pour que la jeune fille ne voie pas la protubérance qui gonflait son pantalon. Il se releva, déjà il était à la porte…

Valentine ne s'était pas retournée. Son blouson était tombé au sol. Il la voyait de dos.

Bien campée sur ses jambes, face au lit, elle croisa les bras devant elle et enveloppa ses épaules. Antoine remarqua ses doigts au vernis rose bonbon. Il ne put empêcher son regard de se river à ses fesses si rondes, d'apparence si ferme, sur ses hanches étroites et sur la bretelle de son soutien-gorge qui faisait légèrement saillie au milieu de son dos.

Il fut saisi d'un malaise. Il était incapable de savoir s'il commençait à perdre l'équilibre ou si Valentine était en train de vaciller, si elle remuait insensiblement le bassin, dans une danse immobile, silencieuse et lascive.

Antoine s'appuya sur le chambranle de la porte. Il lui fallait de l'air. Sortir. Tout de suite.

Il dévala l'escalier quatre à quatre, se précipita vers l'évier de la cuisine, ouvrit en grand le robinet, plongea le visage entre ses mains. Puis il s'ébroua. Attrapa le torchon, s'essuya.

Lorsqu'il le reposa, il aperçut brièvement la silhouette de Valentine qui traversait le couloir et se dirigeait vers la porte. L'air du dehors pénétra dans la pièce ; Antoine courut. Valentine était déjà dans la rue et marchait d'un pas ferme, sans précipitation. Elle passa dans le jardin de ses parents qu'elle traversa avec indifférence et elle entra dans la maison sans se préoccuper de refermer la porte tant elle était certaine qu'Antoine courait derrière elle.

Avant qu'il s'en rende compte, il était chez les Desmedt.

L'odeur propre à cette maison lui sauta au visage. Il ne l'avait jamais aimée, c'était un mélange de chou, de transpiration, d'encaustique…

Antoine fit un pas et stoppa net.

Face à lui, assis à l'extrémité de la longue table du salon, M. Desmedt le fixait.

Il eut soudain la certitude que Valentine était en fait venue le chercher dans le seul but de le conduire là, devant son père.

La jeune fille faisait mine de traîner dans la pièce, ouvrant négligemment le programme TV, passant un index distrait sur l'angle de la commode. Puis elle dévisagea Antoine. Ce n'était plus la même personne. L'adolescente frivole venait d'être rattrapée par l'ombre de son petit frère qui flottait dans la pièce comme une menace. Elle se détourna brusquement puis monta l'escalier et disparut sans un geste, sans un regard.

— Sont là-haut, dit M. Desmedt d'une voix caverneuse.

D'un mouvement de tête, il indiqua l'étage d'où arrivaient des chuchotements indistincts. Le salon n'était éclairé que par l'ampoule de la cuisine et la guirlande du sapin, la même exactement que celle des Courtin. Achetée sans doute au même magasin.

Antoine était paralysé. M. Desmedt avait devant lui son verre vide et une bouteille de vin. Il avait baissé les yeux d'un air pensif. Il demeura ainsi un long moment puis sembla se souvenir tout à coup qu'il n'était pas seul. Il désigna la chaise à côté de lui. Antoine eut peur qu'il se lève et vienne le chercher à la porte pour le forcer à s'asseoir. Il s'avança timidement. Plus il approchait, plus il le voyait de près, plus cet homme massif et brutal lui faisait peur.

— Assieds-toi…

La chaise qu'Antoine recula fit un bruit de craie sur un tableau noir. M. Desmedt le considéra un long moment.

— Tu le connais bien, Rémi, toi… Hein ?

Antoine pinça légèrement les lèvres, oui, assez, enfin, un peu…

— Tu l'imagines faire une fugue, cet enfant-là ? À six ans ?

Antoine fit non de la tête.

— Tu l'imagines partir comme ça au diable Vauvert ? Et qu'il retrouverait plus son chemin alors qu'il est né ici ?

Antoine comprit que les demandes de M. Desmedt n'étaient pas des questions, mais les idées

138

qu'il ressassait depuis plusieurs heures. Il ne répondit pas.

— Et pourquoi qu'ils le cherchent pas la nuit, hein ? Ils n'ont donc pas de lampes, à la gendarmerie ?

Antoine écarta légèrement les mains, impuissant à expliquer.

L'odeur de M. Desmedt était très incommodante, à quoi s'ajoutait celle du vin dont il avait sans doute abusé.

— Je vais y aller…, murmura Antoine.

Comme M. Desmedt ne bougeait pas, il se leva avec précaution. On aurait dit qu'il ne voulait pas le réveiller.

M. Desmedt se tourna alors vivement vers lui, le saisit par les hanches et l'attira vers lui. Ses bras l'entourèrent à la hauteur de la ceinture, il plongea la tête contre sa poitrine et éclata en sanglots.

Antoine faillit céder sous le poids, mais parvint à résister. Il voyait la nuque épaisse et blanche du père de Rémi secouée par les larmes, il respirait son odeur forte.

Prisonnier des bras puissants de cet homme, il eut envie de mourir.

Sur la commode, les photos de la famille étaient disposées dans des cadres disparates. L'un d'eux était vide, celui qui contenait le cliché remis aux gendarmes et qui avait été montré au journal télévisé, Rémi avec son T-shirt jaune, et sa mèche…

On n'avait pas écarté les autres cadres pour remplir l'espace vide. On attendait que la photo de Rémi reprenne sa place, que les choses rentrent enfin dans l'ordre.

9

Le jour semblait ne vouloir jamais se lever,
la ville était surplombée par un ciel d'un blanc
laiteux et uniforme. Les premiers arrivés trou-
vèrent M. Desmedt face à son jardin, sous la
lumière de la marquise, chaussé de lourdes
bottes, revêtu d'une parka beige, les poings
serrés dans les poches. Il avait le visage fermé
des mauvais jours.

Il y avait beaucoup plus d'hommes que de
femmes, mais aussi quelques jeunes garçons,
plus grands qu'Antoine, des seize, des dix-huit
ans qu'il ne connaissait que vaguement.

Antoine n'avait pas fermé l'œil, il était vidé
de toutes ses forces.

Dès qu'il vit, de sa fenêtre, le monde qui sta-
tionnait devant chez les Desmedt et s'apprêtait
à partir en cortège vers la mairie, le courage lui
manqua.

— Comment ça, tu ne viens pas ?

Mme Courtin était outrée. Comment serait-il jugé s'il n'y allait pas, que penserait-on de lui, d'elle, d'eux ? Ne serait-ce que pour Bernadette… Toute la ville allait y venir à cette battue, c'était un devoir !

— Les Mouchotte n'iront pas, eux ! dit Antoine.

L'argument était de mauvaise foi, il le sentait bien, nul ne haïssait les Desmedt plus que les Mouchotte, on se disait même parfois qu'il était heureux que leurs deux maisons soient séparées par celle des Courtin, faute de quoi les deux hommes se seraient étripés depuis longtemps.

— Enfin, dit Mme Courtin, tu sais bien que…

Pour couper court, Antoine céda et descendit.

Il serra quelques mains et tâcha de rester le plus loin possible de la famille Desmedt qui, de toute manière, était très entourée. Valentine portait encore son jean rouge mais, à cause de la lumière de ce matin triste, sa couleur semblait passée et la jeune fille elle-même, noyée dans la petite foule, paraissait plus âgée, déplacée, secondaire.

On partit en procession vers le lieu du rassemblement.

142

Autant, à hauteur du couple Desmedt on observait un silence respectueux, autant, plus loin, les rumeurs et les commentaires allaient bon train. D'abord, cet étang… Tout de même, il y a des années qu'on parle d'en sécuriser l'accès, mais la mairie ne fait rien.

Et puis cette battue, était-ce une initiative de la mairie ou de la préfecture ?

L'exaspération villageoise qui transpirait depuis deux jours trouvait dans cette circonstance exceptionnelle une voie nouvelle d'expression, on se plaignait de la mairie, autant dire du maire, autant dire du patron de l'entreprise Weiser. Il y avait, dans cette irritation confuse, toute l'animosité que la menace sociale faisait peser depuis longtemps sur la collectivité et qui, à défaut de savoir s'exprimer ouvertement, se reportait sur cet événement.

La Sécurité civile avait installé deux grandes tentes blanches devant l'hôtel de ville, il y avait les pompiers et les gendarmes. Bah, où sont les chiens ? interrogea quelqu'un. Mme Courtin discutait avec l'épicière. Antoine tentait d'écouter, mais il n'entendait pas ; il se faisait dans son crâne un roulement grave, une vibration continue, les sons lui parvenaient ouatés, il attrapait une syllabe ici, un bout de phrase ailleurs, hé Antoine ! Il se retourna. C'était Théo.

— T'as pas le droit d'être là !

Antoine ouvrit la bouche et pourquoi il…
Le fils du maire bombait le torse, très heureux
d'annoncer la mauvaise nouvelle.

— Il faut être majeur pour participer ! dit-il
comme s'il n'était pas lui-même concerné par
cette restriction.

Mme Courtin se retourna vivement vers eux.

— C'est vrai, ça ?

Le gendarme arriva, celui qui avait interrogé
Antoine la veille.

— Il faut avoir au moins seize ans…

Il regarda les deux garçons avec un demi-
sourire et enchaîna :

— C'est bien de vouloir participer, mais…

La foule s'agrandissait sans arrêt de nouveaux venus. On se serrait la main, on prenait
des mines modestes, mais résolues. Le maire
s'entretenait avec des gens de la Sécurité civile,
des gendarmes. On avait déplié des cartes
d'état-major. Un camion arriva avec quatre
chiens qui tiraient sur leur laisse. Ah quand
même ! dit quelqu'un.

Il fallut un long moment pour constituer les
groupes, placés chacun sous l'autorité d'un
gendarme ou d'un pompier. Les consignes
étaient énoncées avec clarté et fermeté. Les
hommes, bonnet ou capuche sur la tête, faisaient des signes affirmatifs.

144

Antoine compta une dizaine de groupes de huit personnes.

La télévision arriva, créant son effet. Un cameraman balaya une foule de gens soucieux de se montrer disciplinés, participatifs et responsables. La journaliste avait l'embarras du choix, tout le monde avait quelque chose à dire. Une femme, qu'Antoine n'avait jamais vue, exprimait à quel point elle était bouleversée, elle serrait ses poings sur sa poitrine, on aurait juré qu'elle était la mère du petit disparu. Pendant qu'elle s'expliquait sur ses émotions, la journaliste se mettait sur la pointe des pieds, cherchant désespérément les parents. Quand elle les trouva, elle ne laissa même pas la femme terminer sa phrase, elle joua des coudes, suivie du cameraman, tous deux zigzaguant dans la foule. Ils arrivèrent enfin près de la tente blanche.

Lorsque Mme Desmedt les vit, elle se mit à pleurer. Le cameraman épaula rapidement.

Les images qui furent prises à cet instant-là allaient faire le tour de la France en moins de deux heures.

Le désarroi de Mme Desmedt, ce qu'elle prononça vous arrachaient le cœur. Rendez-le-moi. Trois mots à peine audibles.

Rendez-le-moi.

Prononcés d'une voix brisée, vibrante.

L'entourage en fut tellement bouleversé que le silence gagna peu à peu la foule, provoquant un recueillement involontaire qu'on craignit prophétique.

Le jeune gendarme, muni d'un porte-voix, monta sur le perron de l'hôtel de ville, tandis que des agents avec brassard distribuaient un tract.

— Je vous remercie d'avoir répondu présent, surtout un jour comme celui-ci…

Chacun se rengorgea discrètement avec le sentiment d'être doublement serviable et généreux.

— Nous vous demandons de lire très attentivement les consignes écrites qui vous sont distribuées. Ne pressez pas la marche, restez concentrés sur ce que vous voyez. Il est impératif que chaque mètre carré que nous aurons foulé puisse être définitivement exclu de nos recherches. Est-ce que je me fais bien comprendre ?

Il y eut un brouhaha d'approbation.

Pendant ce discours, Antoine avait été distrait par l'arrivée du curé et de Mme Antonetti venus en voisins.

— Neuf groupes sont formés. Quatre partiront avec les maîtres-chiens du côté de l'étang, trois autres se rendront aux abords ouest de la

146

forêt domaniale, deux groupes enfin en direction de Saint-Eustache.

Antoine se figea. C'était fini. Il en fut libéré.

Maintenant il savait ce qui allait se passer, il savait ce qu'il allait faire. D'une certaine manière, les choses étaient plus simples.

— Après la pause du déjeuner, nous modifierons la destination des différents groupes en fonction des avancées de la matinée. Si les recherches d'aujourd'hui ne donnent pas de résultat, vous serez de nouveau sollicités demain.

C'est à ce moment qu'arriva M. Kowalski.

Il marchait lentement, d'un pas hésitant. Le silence se faisait sur son passage, tout le monde s'écartait non par déférence, mais parce que cet homme sentait le soufre. Il a été libéré…, lisait-on sur toutes les lèvres. On se regardait, circonspects. Était-il libéré provisoirement ? Personne n'en avait rien su.

À mesure que M. Kowalski approchait de la mairie, les gens qu'il avait dépassés exprimaient leurs pensées à voix basse. Libéré, d'accord, disait-on, mais c'est peut-être faute de preuves… Car enfin, on n'arrête pas tout le monde, on n'arrête que ceux qui ont à voir de près ou de loin avec l'affaire. Pas de fumée sans feu. Kowalski… On dit que sa boutique ne marche pas bien du tout, c'est ce qui l'a obligé à faire ces tournées dans les villages du coin pour joindre les deux bouts.

Le visage de Kowalski, lui, ne traduisait rien de ses affects, c'était toujours long et noueux, avec ces joues creuses, ces sourcils épais…

Il passa près d'Antoine et de sa mère. Mme Courtin lui tourna le dos très ostensiblement. Il arriva devant le gendarme, s'arrêta et écarta légèrement les bras, je suis là, dites-moi ce que vous attendez de moi.

Le gendarme regarda les différents groupes et sentit aussitôt leur énergie négative. Les dos se tournaient, les regards se détournaient, d'autres, plus résolus encore, s'étaient carrément mis en route sans attendre.

— Je vois…, dit le gendarme d'une voix dans laquelle on discernait une pointe de lassitude. Bon, vous venez avec nous.

La foule se mit en route, les conversations reprirent, le sol était déjà jonché des feuilles d'instructions de la Sécurité civile.

Rentré à la maison, Antoine resta longtemps accoudé à la fenêtre de sa chambre à regarder au loin. Quand ils auraient trouvé le corps, ils appelleraient, on apercevrait alors des gyrophares qui monteraient, là-bas, sur la route, dans la direction de Saint-Eustache.

Il ferma enfin la fenêtre et alla dans la salle de bains.

Il vida tout ce qu'il y avait de cachets dans la pharmacie. Mme Courtin, comme la plupart des Français, méritait sa réputation de grande consommatrice de médicaments, il y avait de tout, et en quantité. Cela faisait un gros tas de comprimés.

Antoine, retenant ses nausées, les avala par poignées. Il pleurait abondamment.

10

Le raz-de-marée né au fond de l'estomac le
traversa de bas en haut dans un spasme fou-
droyant, lui broya les reins et explosa dans sa
gorge en le soulevant littéralement du lit. Il
plongea la tête vers le sol en laissant échapper
un cri guttural montant des tripes, un filet de
bile s'allongea pendant qu'asphyxié il cherchait à retrouver l'équilibre.

Il était épuisé, son dos était une torture. À
chaque mouvement de houle, son corps entier
voulait s'extirper de son enveloppe, se retourner sur lui-même, se liquéfier et s'enfuir.

Cela dura deux bonnes heures.

Sa mère montait régulièrement, changeait
la bassine posée sur la carpette, près du lit, lui
essuyait la commissure des lèvres, lui tampon-
nait le front avec un linge froid et redescendait.

Lorsque les spasmes se calmèrent, Antoine se rendormit.

Dans son rêve, Rémi était épuisé, il n'avait plus aucune force lui non plus. Étendu dans la grande bouche noire, il ne tendait plus les bras, juste ses petites mains, dans un ultime effort. La mort venait, elle était là, elle l'avait saisi par les pieds, le tirait à elle, Rémi s'enfonçait, disparaissait...

Antoine !

Quand il s'éveilla, il faisait sombre. Il ne savait pas quelle heure il pouvait être, mais ce n'était sûrement pas la pleine nuit, il entendait le téléviseur en bas. Il prêta attention à la cloche de l'église qui parvenait jusqu'à sa chambre lorsque le vent soufflait dans le bon sens. D'ailleurs, il y avait du vent qui s'engouffrait le long des volets. Il compta six coups, il n'était pas certain du chiffre. Disons entre 5 et 7 heures.

Il regarda sa table de nuit. Il y avait un verre d'eau et une carafe. Un médicament en bouteille qu'il ne connaissait pas.

La sonnerie de la porte d'entrée retentit, la télévision s'éteignit.

Une voix d'homme, on chuchotait.

Puis des pas se firent entendre dans l'escalier et le docteur Dieulafoy apparut, seul, avec sa grosse mallette en cuir qu'il posa près du lit.

Il se pencha vers Antoine, mit une seconde sa main sur son front bouillant puis, toujours sans un mot, il ôta son manteau, tira son stéthoscope, rabattit le drap, releva sa veste de pyjama (quand l'avait-il enfilée ? il ne s'en souvenait pas) et procéda silencieusement à l'examen, le regard concentré sur un point imaginaire et flottant.

En bas, la télévision s'était rallumée, mais le son avait été baissé. Le docteur prit le pouls d'Antoine. Puis il rangea son stéthoscope et resta assis, les jambes légèrement écartées, les mains croisées, pensif et prudent.

Le docteur Dieulafoy avait une cinquantaine d'années. Si son père était, de l'avis unanime, un marin breton qui avait beaucoup navigué, l'origine de sa mère faisait l'objet de supputations très variées : domestique vietnamienne, prostituée chinoise, traînée thaïlandaise... Comme on voit, la rumeur ne donnait pas grand-chose de cette femme dont en fait personne ne savait rien.

Le docteur était installé ici depuis près de vingt-cinq ans et personne ne pouvait se flatter de l'avoir jamais vu sourire. Il sillonnait à longueur d'année les routes du canton, recevait ses patients jusqu'à pas d'heure, tout le monde le connaissait, l'avait appelé un jour et l'appelait encore, il avait assisté à des dizaines

152

de mariages, de communions, de baptêmes et enterré une palanquée de vieillards mais personne ne savait rien de lui, pas de femme, pas d'enfant, la fille de l'épicière faisait le ménage de son appartement, il se chargeait lui-même du cabinet. Le dimanche, les fenêtres grandes ouvertes quel que soit le temps, on le voyait, vêtu d'un survêtement hors d'âge, passer l'aspirateur, astiquer, nettoyer, et si un patient profitait de l'occasion pour le solliciter, le docteur Dieulafoy ouvrait sa porte, le faisait entrer, se lavait les mains et procédait à la consultation, la bombe d'encaustique et le chiffon à poussière posés sur un coin du bureau.

Antoine se releva sur ses oreillers. Son estomac mille fois retourné lui faisait un mal de chien, le goût de vomissure dans sa bouche l'écœurait.

Le docteur ne bougeait pas, immergé dans sa réflexion. Son large visage métis parfaitement impassible et son immobilité mettaient Antoine mal à l'aise, mais peu à peu, ce fut comme s'il n'était plus là, qu'il était simplement un meuble nouveau dans la pièce. Antoine se laissa couler dans sa propre réflexion. Ça n'avait pas marché. Il avait voulu mourir et il avait raté son coup. Il allait devoir se justifier, expliquer. Il se souvint tout à coup du départ de la battue, des groupes qui se dirigeaient vers Saint-Eustache… Il n'avait plus à se justifier, il n'aurait qu'à confirmer ce que tout le monde maintenant savait. Le poids de ce qu'il avait à affronter était tel que, accablé d'avance, il ferma les yeux et sombra de nouveau entre ses oreillers.

— Est-ce que tu veux me raconter, Antoine ?

Le docteur avait une voix très douce. Il n'avait pas bougé d'un millimètre.

Antoine n'eut pas la force de répondre à cette question. La mort de Rémi était à la fois très présente et très lointaine, trop de choses différentes se mélangeaient dans son esprit. Où avaient-ils mis le cadavre de Rémi ? Il imagina Bernadette assise à côté de son corps allongé, essayant de réchauffer sa petite main froide dans les siennes…

Attendait-on que le docteur Dieulafoy donne le feu vert médical pour que l'on vienne l'arrêter ? Les gendarmes retenaient-ils sa mère en bas ? Comme il était mineur, peut-être que c'était un docteur qui devait recueillir ses aveux… Il ne savait plus à quelle question il devait répondre.

La pénombre de la chambre le rapprocha de Rémi. C'était un endroit bien sombre aussi d'où on l'avait retiré.

Il imaginait les hommes penchés vers le grand hêtre. M. Desmedt n'avait laissé à personne le soin d'aller chercher son fils dans le trou noir, même les pompiers restaient à distance respectueuse. Ils avaient seulement approché une civière et une grande couverture pour recouvrir le corps. Le moment où M. Desmedt tirait l'enfant vers lui était déchirant. Il l'avait attrapé par un bras, Rémi apparaissait d'abord par la tête, on reconnaissait tout de suite ses cheveux châtains, puis venaient ses épaules. Il était si désarticulé qu'on aurait dit qu'il remontait à la surface dans le désordre...

Antoine fondit en larmes.

Il en ressentit un soulagement inattendu. Ce n'étaient pas les larmes d'avant, du temps qu'il était libre, mais un flot profond et apaisant. Des larmes qui nettoyaient.

Le docteur Dieulafoy hocha sobrement la tête, il approuvait quelque chose qui n'avait pas été dit, mais qu'il semblait avoir entendu.

Le flot de larmes d'Antoine était intarissable. Inexplicablement, il y avait du bonheur dans cet instant. Celui d'un soulagement qu'il n'espérait plus. C'était fini et ces pleurs étaient ceux de son enfance, ils avaient quelque chose de protecteur, ils lui procuraient un apaisement qu'il emporterait avec lui, où qu'on l'emmène.

Le docteur resta ainsi un long moment à écouter Antoine pleurer, puis il se leva, ferma sa sacoche, reprit son manteau sans le regarder.

Et il sortit sans un mot.

Antoine se calma, se moucha, se redressa sur ses oreillers. Peut-être devait-il s'habiller pour recevoir les gens... Il ne savait pas quoi faire, c'est la première fois qu'on venait l'arrêter.

Ce furent d'abord les pas de sa mère qui résonnèrent dans l'escalier. Alors c'est avec elle qu'il devrait s'habiller et descendre. Il aurait préféré quelqu'un d'autre, elle allait se raccrocher à lui pendant qu'il serait tiré par les gendarmes.

Mme Courtin plissa le nez en entrant, cette odeur de vomi...

Elle ramassa la bassine et alla la poser par terre dans le couloir, puis elle revint et, malgré le vent qui soufflait fort à l'extérieur, elle entrouvrit un battant pour aérer. L'air froid pénétra dans la pièce. Il remarqua sur sa mère une petite barre en travers du front qui, chez elle, était le signe d'une préoccupation.

Elle se tourna vers son fils.

— Ça a l'air d'aller mieux, non ?

Sans attendre la réponse, elle prit sur la table de nuit le flacon de médicament, en dosa une cuillère à café.

— Ce chapon, quand même... J'ai tout jeté. On n'a pas idée de vendre une viande pareille !

Antoine ne réagissait pas.

— Allez ! dit-elle. C'est contre les indigestions, ça va te faire du bien.

Cette référence à un simple dérangement
l'interrogeait et le préoccupait. Il avala le
médicament, soucieux. Il n'était pas certain de
comprendre ce qui se passait. Mme Courtin
reboucha le flacon.

— J'ai fait du bouillon, je vais t'en monter
un bol.

Elle venait de parler du chapon, il se souvenait n'y avoir quasiment pas touché. Et puis,
s'il était malade à cause d'une indigestion, sa
mère en avait mangé, de ce chapon, pourquoi
n'était-elle pas malade, elle aussi ?

Antoine tenta de se remémorer comment
les choses s'étaient passées, mais il y avait
beaucoup de flou dans son esprit. Il ne faisait pas clairement la distinction entre la réalité et ce qu'il avait dû rêver. Il se leva. Il avait
les jambes faibles, il perdit l'équilibre, dut se
retenir au bord du lit. Il repensa à Valentine.
Faisait-elle partie du rêve ou de la réalité ? Il
la revoyait devant lui pendant qu'il tentait de
nouer ses souliers, il voulait se lever précipitamment, mais il tombait sur le lit, comme
maintenant…

Après il y avait eu le réveillon et, avant,
M. Desmedt qui le tenait enlacé par la taille.

Et enfin la battue vers la forêt domaniale et le bois de Saint-Eustache…

Il ferma les yeux, laissa passer le malaise et fit une nouvelle tentative. Il s'appuyait aux murs, aux meubles, il s'avança jusque dans le couloir, poussa la porte de la salle de bains, s'accrocha au lavabo, ouvrit l'armoire à pharmacie.

Vide.

Il se souvenait parfaitement, lorsqu'il s'était endormi, des médicaments éparpillés sur sa table de nuit, certains étaient même tombés sur le sol… Où étaient-ils maintenant ?

Il revint à sa chambre avec autant de difficulté.

S'allonger fut un soulagement.

— Tiens…

Mme Courtin lui avait monté un plateau avec un bol de bouillon fumant qu'elle cala sur le lit avec force précautions.

— J'ai pas très envie, dit Antoine faiblement.

— Bah oui, les indigestions, c'est comme ça, on reste patraque longtemps, on n'a envie de rien.

Entendre le téléviseur du salon troublait Antoine. L'allumer ainsi en pleine journée n'était pas dans les usages de Mme Courtin, on pourrait même dire que ça n'était pas dans ses valeurs. Les écrans, ça rend idiot.

— Le docteur Dieulafoy a dit qu'il allait repasser dans la soirée, voir si tout va bien. Moi, je lui ai dit que ça n'était pas la peine, vu que tu vas très bien, on ne va pas remuer ciel et terre pour une simple indigestion quand même ! Mais tu sais comment il est cet homme, d'un consciencieux… Bon, il va repasser…

Mme Courtin fourgonnait dans la pièce, passait du bureau à la fenêtre, fermait une porte qui était déjà fermée, s'agitait inutilement, cherchait une contenance et l'embarras qu'elle manifestait jurait avec la voix ferme et assurée avec laquelle elle enchaîna :

— Un chapon faisandé, je ne sais pas si tu te rends compte ! Ah, on me la copiera celle-là !

Antoine remarqua qu'elle évitait de prononcer le nom de Kowalski. C'était bien dans sa manière, quand on ne parlait pas de quelque chose, ce quelque chose n'existait plus.

— Enfin, reprenait Mme Courtin, une indigestion, ça n'est quand même pas une affaire d'État ! C'est ce que je lui ai dit, au docteur Dieulafoy, il parlait d'hôpital, bah bah bah, il t'a donné un vomitif et voilà tout.

Elle semblait le prendre à témoin dans cette affaire.

— Un émétique, que ça s'appelle, moi je veux bien… Bon, tu n'en veux pas, de mon bouillon ?

159

Après cette longue explication dont Antoine ne voyait pas clairement à quoi elle menait, Mme Courtin avait soudain l'air pressée de partir.

— J'éteins ? Tu ferais mieux de dormir... C'est ça, le vrai médicament, le sommeil... Le repos !

Elle éteignit d'autorité et tira la porte.

Dans la chambre, plongée dans la pénombre, on n'entendait plus que le souffle du vent qui forcissait, peut-être un orage se préparait-il.

Antoine tâcha de coller ensemble les morceaux de tout ce qu'il avait entendu et compris, les médicaments disparus de sa table de nuit, la venue du médecin, l'intervention de sa mère... Où tout cela conduisait-il ?

Il s'endormit.

La sonnerie de la porte retentit et le réveilla.

Il ne savait pas s'il s'était seulement assoupi ou s'il avait dormi un long moment. Il repoussa les draps, s'approcha de la porte entrouverte, reconnut la voix du docteur.

Mme Courtin chuchotait :

— Vaut-il pas mieux le laisser dormir ?

Mais suivirent les pas du docteur dans l'escalier.

Antoine se recoucha, se roula sur le côté et ferma les yeux.

Le médecin entra et resta un long moment debout près du lit, immobile. Antoine, tendu, tentait de maîtriser sa respiration. Comment respire-t-on quand on dort ? Il adopta un rythme lent et long qui lui sembla conforme à celui d'un dormeur.

Le docteur s'avança enfin puis il s'assit sur le côté du matelas, à l'endroit exact qu'il avait occupé lors de sa première visite.

Antoine entendait son propre cœur et le vent au-dehors.

— Si tu as des ennuis, Antoine…

Il parlait d'une voix basse, contenue, intime. Antoine était obligé de tendre l'oreille pour le comprendre.

— … tu peux m'appeler à n'importe quel moment. Jour et nuit. Tu peux venir me voir, m'appeler, comme tu veux… Tu vas te sentir faible un jour ou deux, ensuite tout rentrera dans l'ordre et peut-être qu'à ce moment-là, tu voudras parler à quelqu'un… Tu n'y es pas obligé, c'est seulement…

Les mots venaient lentement, les phrases du docteur ne s'achevaient pas, la fin s'évaporait dans la pièce comme une vapeur légère.

— Si je t'avais hospitalisé… les choses se seraient passées autrement, tu comprends… Là, comme ça, maintenant, je ne sais pas comment… Et c'est pour ça que je suis venu. Pour te dire que, quoi qu'il arrive, je veux dire, s'il arrive quelque chose, tu peux me demander, m'appeler… N'importe quand. Voilà. Pour me parler… N'importe quand.

Jamais Antoine, ni quiconque dans la ville d'ailleurs, n'avait entendu un discours d'une telle longueur de la part du docteur Dieulafoy.

Il resta ainsi un long moment, laissant le temps à Antoine, s'il l'écoutait, d'enregistrer le message, après quoi il se leva et sortit comme il était venu. Comme une apparition.

Antoine ne parvenait pas à réaliser. Le docteur Dieulafoy ne lui avait pas parlé, il lui avait chuchoté une berceuse.

Antoine ne changea pas de position. Il se laissa emporter par le sommeil et lutta contre les échos que les mugissements du vent portaient jusque dans sa chambre : un cri déchirant mille fois répété…

Antoine !

Lorsqu'il s'éveilla, sans savoir pourquoi il fut certain cette fois qu'il était très tard. Pourtant le téléviseur, en bas, était allumé.

Les événements de la veille lui apparurent dans toute leur clarté. Le départ de la battue, les médicaments, la venue du docteur…

Il aurait dû s'enfuir.

De cela aussi, le souvenir revint : il avait voulu partir.

162

Il se leva, il était faible, mais il tenait debout. Il s'agenouilla rapidement, chercha sous son lit. Rien.

Il était pourtant certain, absolument certain, d'y avoir jeté son sac à dos rempli de vêtements. Et sa chemise roulée en boule.

Il se releva, alla ouvrir les tiroirs de la commode : tout était de nouveau à sa place. Sa figurine de Spider-Man avait été reposée près du globe terrestre. Il ouvrit les tiroirs de son bureau. Les papiers qu'il y avait mis n'y étaient plus.

Il fallait en avoir le cœur net.

Il entrouvrit la porte de sa chambre et descendit silencieusement les marches. Au rez-de-chaussée, il entendait le téléviseur chuchoter. Il s'avança vers la commode de l'entrée, avec une grimace il tira très lentement le premier tiroir. Son passeport, son autorisation de sortie du territoire étaient là, posés sur le dessus, rangés, parfaitement à leur place...

Sa mère, il en était certain, avait fait disparaître les médicaments de la table de nuit, rangé le sac à dos visiblement prévu pour sa fuite, remisé le passeport et le livret A...

Quelle idée se faisait-elle de ce qu'Antoine essayait de fuir ? Que savait-elle réellement ? Rien sans doute. Et en même temps, elle savait peut-être l'essentiel. Imaginait-elle de quelle manière Antoine pouvait être lié à la disparition de Rémi ?

Il referma le tiroir, fit de nouveau un pas puis un autre. Il découvrit alors sa mère devant le poste de télévision, très près de l'écran, à la manière d'une femme aveugle. Elle regardait le journal de minuit sur la chaîne régionale. Le son en était à peine audible :

« … de l'enfant disparu en début d'après-midi de vendredi. La battue organisée hier dans la forêt domaniale n'a, hélas, pas donné de résultat. Toute la zone où l'enfant aurait pu s'égarer n'a pas pu être couverte dans la journée, notamment le bois de Saint-Eustache. La gendarmerie a décidé de procéder à une seconde battue demain matin. »

Le reportage montrait des groupes de personnes alignées, avançant lentement, côte à côte…

« L'étang de Beauval a fait l'objet de premiers sondages des plongeurs de la Sécurité civile qui poursuivront leurs recherches demain matin. »

La vision de sa mère, anxieusement penchée vers le téléviseur, serra le cœur d'Antoine, lui redonna envie de mourir.

« Un Numéro Vert, qui s'affiche en bas de votre écran, est à la disposition des éventuels témoins. Rappelons que lors de sa disparition le petit Rémi Desmedt, six ans, était vêtu d'un… »

Antoine remonta à sa chambre.

On n'avait pas pu ratisser tout le bois en une seule journée, une seconde battue était prévue. Le lendemain matin.

On retournerait sur place.

Antoine n'aurait pas une seconde chance.

Une fois de plus, il ressentit à quel point il avait hâte que cet orage qui le menaçait depuis deux jours éclate enfin.

Dehors, le vent, de plus en plus puissant, faisait claquer les volets dans leurs gonds.

11

Le vent ne cessa de forcir toute la nuit et devint si violent que même la pluie, intense et nourrie, qui était tombée jusqu'aux premières heures du matin, fut chassée et, épuisée, dut rendre les armes.

La tempête avait laissé sur tout le territoire la trace dramatique de son passage. Au lieu de faiblir comme on l'espérait, elle aborda la région en envahisseur sûr de sa force.

La ville était entièrement réveillée.

Antoine ressentait le poids des fatigues accumulées au cours de ces deux jours, d'autant qu'il n'avait pas fermé l'œil de la nuit.

Il avait passé la nuit à imaginer la forme que prendrait la catastrophe maintenant inévitable. Il restait dans son lit, écoutant la tempête. Les fenêtres vibraient derrière les volets, le souffle s'engouffrait dans la cheminée qui

bourdonnait sourdement. Il ressentait une cor-
rélation confuse entre la situation de la maison
tremblant sous la tempête et sa propre vie. Il
pensait aussi beaucoup à sa mère.

Sur la disparition de Rémi et le rôle qu'Antoine y avait joué, elle ne savait rien de précis, n'importe qui aurait été submergé par des
images sordides, de l'épouvante à l'état pur, mais
Mme Courtin, elle, avait sa méthode. Elle élevait,
entre les faits qui la dérangeaient et son imagination, un mur haut et solide qui ne laissait filtrer
qu'une angoisse diffuse qu'elle atténuait grâce
à une quantité inouïe de gestes habituels et de
rituels intangibles. La vie doit toujours reprendre
le dessus, elle adorait cette expression. Cela signifiait que la vie devait continuer de couler, non
pas telle qu'elle était mais telle qu'on la désirait.
La réalité n'était qu'une question de volonté, il
ne servait à rien de se laisser envahir par des tra-
cas inutiles, le plus sûr pour les éloigner était de
les ignorer, c'était une méthode imparable, toute
son existence montrait qu'elle fonctionnait à merveille.

Son fils avait voulu se tuer en avalant le
contenu de l'armoire à pharmacie, soit, on pouvait le voir ainsi. Mais ramené à une indigestion causée par le chapon de M. Kowalski, le
fait prenait les proportions d'une circonstance

secondaire, un mauvais moment à passer, deux jours de bouillon et tout irait bien.

Les pensées d'Antoine étaient difficilement dissociables de l'atmosphère ténébreuse qui régnait, du bruit de ce vent qui semblait bousculer la maison, qui vrombissait comme un moteur furieux.

Antoine se décida à descendre. Il se demanda si sa mère s'était seulement couchée, elle portait les mêmes vêtements que la veille. La télévision était encore allumée dans le salon, le son réglé au plus bas.

Le petit déjeuner qu'elle avait préparé, les ustensiles habituels posés sur la table dressée ressemblaient à ceux des autres jours, mais elle n'avait pas ouvert les volets, c'était un peu comme si on déjeunait en pleine nuit, les courants d'air qui traversaient la maison faisaient vaciller la lampe de la cuisine.

— Je n'ai pas pu ouvrir…

Elle regardait son fils avec effarement. Elle ne lui avait pas dit bonjour, ne s'était pas souciée de sa santé… Qu'elle ne soit pas parvenue à ouvrir les volets la sidérait totalement. Sa voix laissait transparaître une inquiétude très vive. Cette météo qui annonçait des dégâts ne se calmerait pas avec un bon bouillon…

— Peut-être que toi tu vas y arriver…

168

Derrière cette demande il y avait bien d'autres choses qu'Antoine percevait sans vraiment les comprendre.

Il s'approcha de la fenêtre, tourna la poignée, le vantail le repoussa si violemment qu'il faillit tomber à la renverse. Il réussit à le refermer en s'arc-boutant sur la poignée.

— Il vaut mieux attendre que ça se calme…

Il s'installa pour déjeuner. Il savait que sa mère ne poserait aucune question, elle tartinait sa biscotte avec les mêmes gestes, la confiture était au même endroit sur la table. Antoine n'avait pas faim. Après quelques minutes d'un dialogue silencieux qui faisait l'inventaire de leurs incompréhensions réciproques, il débarrassa et retourna dans sa chambre.

La PlayStation avait été reposée dans son coffret d'emballage. Il la retira et entreprit une partie, mais il restait très préoccupé.

Lorsqu'il entendit monter le son du téléviseur, il s'avança dans le couloir, descendit quelques marches. On annonçait une forte tempête dans les heures à venir. Des vents puissants étaient attendus. On recommandait de ne pas sortir.

Ce qu'on vivait là n'était encore que le début.

La confirmation arriva moins d'une heure plus tard.

Les fenêtres vibraient comme des feuilles, le vent s'engouffrait partout, la maison résonnait de craquements sinistres.

Inquiète, Mme Courtin monta au grenier, mais ne tint pas cinq minutes : les tuiles tremblaient sous la bourrasque, plusieurs fuites avaient fait ruisseler de l'eau le long des murs, sur le plancher. En descendant, elle était blême de peur.

Elle sursauta et poussa un cri lorsque se fit entendre un choc... Ça provenait de l'extrémité nord de la maison.

— Laisse, dit Antoine, je vais voir.

Il enfila sa parka, ses chaussures. Mme Courtin aurait dû faire un geste pour le retenir, mais elle était littéralement terrorisée, elle ne comprit le danger auquel il s'exposait que lorsqu'il ouvrit la porte. Elle l'appela, c'était trop tard, il avait déjà refermé, il était dehors.

Les voitures garées le long du trottoir étaient animées d'un mouvement inquiétant. Le tonnerre grondait comme un molosse prêt à bondir, les éclairs, en rafales ininterrompues, éclairaient d'une lumière bleue les maisons dont certains toits commençaient à se déchirer.

De l'autre côté de la rue, deux poteaux télégraphiques étaient couchés l'un sur l'autre. Emporté par le vent, tout un fatras de bâches, de seaux, de planches, vous passait à portée de main et de visage. On entendait vaguement les sirènes des pompiers sans savoir où ils se rendaient.

Le vent était d'une puissance telle qu'il pouvait projeter Antoine à l'autre extrémité du jardin et même au-delà. Il fallait tenter de se tenir à quelque chose de solide, mais lorsqu'on regardait les voitures et les toits, on voyait que rien, dans ces conditions, ne pouvait être considéré comme solide. Plié en deux, il dut s'accrocher une main après l'autre pour avancer vers le bout de la maison. Il jeta un œil à l'angle du mur et n'eut que le temps de se baisser, une tôle tourbillonnant dans les airs passa à quelques centimètres de sa tête. Il s'agenouilla, la tête le plus bas possible et en se protégeant des deux bras.

Le sapin s'était abattu dans le jardin. Un sapin de près de dix ans planté à Noël, Antoine revoyait des photos de la cérémonie familiale, son père habitait encore la maison à cette époque.

La ville entière était prise d'un mouvement continu qui la faisait ployer, fléchir, elle menaçait d'être arrachée à elle-même.

Antoine se releva, relâcha un instant sa vigilance, ce fut suffisant pour qu'il soit soulevé par une brusque saute de vent, il tomba à terre à un mètre de là, tenta de se retenir, mais il luttait contre une force irrépressible, il roula sur le sol et atteignit le mur du jardin contre lequel il cogna. Il s'y blottit, la tête entre les genoux. Il avait le souffle coupé.

Il reprit ses esprits. Revenir jusqu'à la porte de la maison lui sembla une tâche insurmontable.

La façade des Desmedt lui fit penser à la seconde battue qui devait commencer le matin même. À cette heure-ci, tout le monde aurait déjà dû être en route pour Saint-Eustache mais évidemment, il n'y avait personne dehors, il n'aurait même pas été possible de marcher jusqu'au coin de la rue.

Il rampa jusqu'à la clôture qui séparait leur jardin de celui des Desmedt et risqua un œil. La balançoire était couchée au sol. Tout le reste avait été balayé et projeté contre le petit mur d'enceinte. Y compris les sacs-poubelle. Celui qui contenait le cadavre du chien avait été déchiré. La carcasse d'Ulysse en était à moitié sortie, pelucheuse, éventrée et sombre. Antoine en fut épouvanté. Il se tourna vers leur maison. L'antenne parabolique, placée à l'angle, oscillait dangereusement.

Sans sa mère et son inquiétude de ne pas le voir revenir, il serait resté là, assis contre le muret, à regarder jusqu'au bout la maison s'envoler par morceaux.

172

Enfin, il s'allongea sur le sol pour donner le moins de prise possible au vent et rampa. Traverser le jardin dans cette position lui demanda plus d'un quart d'heure. Il parvint à faire le tour de la maison et à entrer par la petite porte de derrière, un peu mieux protégée. Il arriva harassé.

Sa mère se précipita et le serra contre elle. Elle était essoufflée comme si elle était sortie elle-même, qu'elle avait dû affronter la tempête.

— Mon Dieu ! Et moi qui te laisse sortir par un temps pareil…

Il était impossible d'imaginer quand ce cataclysme allait s'arrêter. La pluie avait totalement cessé. L'orage lui-même s'était éloigné. Ne restait que le vent qui, de quart d'heure en quart d'heure, prenait de la force, de la vitesse.

Fenêtres et volets fermés, on vivait en aveugles, en assiégés, réduits à écouter la maison craquer comme un bateau dans la tourmente. L'antenne parabolique fut sans doute arrachée : le téléviseur s'éteignit vers 11 heures du matin. Ce fut le tour de l'électricité une heure plus tard. Il n'y avait plus de téléphone non plus.

Mme Courtin restait assise dans la cuisine, à serrer les mains sur son mug de café froid. Antoine fut saisi à son égard d'un réflexe protecteur, il ne voulut pas la laisser seule et vint s'installer à côté d'elle. Ils ne parlèrent pas. Sa mère présentait un visage tellement éprouvé qu'Antoine eut envie de poser sa main sur la sienne, mais il en fut retenu parce qu'il ne savait pas quelle porte allait ouvrir un geste pareil, dans ces circonstances...

Il connaissait, dans le volet du salon, un endroit par lequel il était possible d'apercevoir la rue. Ce qu'il vit l'épouvanta. Les deux voitures qui se trouvaient là il y a un moment n'y étaient plus, un arbre de plus de deux mètres passa dans la rue, cogna ici et là les murs et les portes des jardins, roulant à une vitesse folle...

La pointe de la tempête dura près de trois heures.

Vers 16 heures, le calme revint.

Personne n'y croyait plus.

On vit les portes des maisons s'ouvrir prudemment, les unes après les autres.

Les habitants de Beauval restèrent muets de stupeur devant les dégâts provoqués par cette tempête que des météorologues allemands baptisèrent « Lothar ».

Mais ils durent bien vite rentrer.

La pluie qui avait momentanément cédé la place à la tempête venait maintenant faire valoir ses droits à coopérer à la catastrophe.

12

Elle s'abattit sur Beauval avec une puissance terrifiante et une densité telle qu'elle obscurcit le ciel en quelques minutes. Le vent ayant totalement disparu, les trombes d'eau piquaient sur la ville à la verticale. Les rues, rapidement recouvertes, se transformèrent bientôt en ruisseaux puis en rivières, emportant tout ce que les rafales avaient chassé quelques heures plus tôt, poubelles, boîtes aux lettres, vêtements, caisses, planches, on vit même passer un petit chien blanc qui tentait de surnager et qu'on retrouva le lendemain écrasé contre un mur. Les voitures qui, quelques heures plus tôt, avaient été chassées par la tempête firent en tournoyant sur le flot le chemin en sens contraire.

Antoine entendit un bruit de chute venant de la cave, il ouvrit la porte, tenta d'allumer, mais l'électricité n'était toujours pas rétablie.

— Ne descends pas, Antoine, dit Mme Courtin.

Mais il avait déjà saisi la lampe de poche accrochée au mur et passé les premières marches. Ce qu'il vit lui coupa le souffle : il y avait plus d'un mètre d'eau, tout ce qui n'était pas attaché flottait, du matériel de camping, des cartons de vêtements, des valises…

Il referma précipitamment.

— On va devoir monter, dit-il.

Il fallait s'organiser rapidement parce que, si l'eau envahissait le rez-de-chaussée comme elle était en passe de le faire, on ne savait pas à quel moment on pourrait redescendre. Pendant que les tornades frappaient à la porte comme si elles voulaient forcer l'entrée, Mme Courtin rassembla en hâte des provisions qu'elle posa sur les marches de l'escalier ainsi que tout ce qui lui sembla précieux, son sac à main, des albums photos, un carton à chaussures de documents officiels, une plante en pot (pourquoi celle-ci, on ne le saurait jamais), un coussin au crochet qui venait de sa mère, on avait l'impression qu'elle s'apprêtait à partir pour l'Exode. Antoine fit le tour de la maison pour débrancher tous les appareils électriques. L'eau montait à une vitesse spectaculaire. On la vit d'abord passer sous la porte qui conduisait à la cave puis envahir le plancher, et gagner peu à peu toutes les pièces. Le temps d'emporter à l'étage tout ce qui avait été mis de côté, il y en avait deux ou trois centimètres de plus, on ne voyait pas ce qui pourrait arrêter cette progression.

Antoine resta assis dans l'escalier. L'eau venait d'atteindre la première marche et continuait à gagner en hauteur. À la surface nageaient et se balançaient mollement les coussins du canapé, les programmes de TV, cahiers de mots croisés, boîtes vides, le balai en plastique de la cuisine…

Cette situation commençait à l'angoisser. On allait se réfugier à l'étage, mais cela suffirait-il ? Il se remémora des reportages sur des inondations où l'eau affleurait le toit des maisons. Il y avait des gens perchés dessus qui s'agrippaient aux cheminées. Allait-on finir ainsi ?

L'orage revint sur la ville, le tonnerre gronda au-dessus de leurs têtes comme s'il avait été dans la pièce, les éclairs zébraient les fenêtres d'une lumière blanche et crue, aveuglante. La pluie ne cessait pas, l'eau poursuivait sa montée.

Antoine se décida à rejoindre sa mère. Maintenant que le vent s'était calmé, Mme Courtin avait fait le tour de l'étage et ouvert tant bien que mal les volets de toutes les pièces.

Par les vitres, ils découvraient le paysage nouveau qu'offrait leur coin de ville. L'eau recouvrait tout d'une trentaine de centimètres, les cours, les jardins, les trottoirs, et elle dévalait maintenant les rues à grande vitesse, beige, bouillonnante, avec des remous de fleuve soudain libéré. La tempête avait éventré des toits, des centaines de tuiles s'étaient envolées.

Dans quel état se trouvait le leur ? Antoine leva la tête : le plafond avait changé de couleur, plus sombre, et des gouttes d'eau commençaient à perler ici et là. Il se demanda si la maison tout entière n'allait pas finir par s'écrouler sur eux. Mais sortir était impossible, il vit par la fenêtre la camionnette de livraison de la supérette dériver, emportée par le flot, suivie d'une deuxième, comme si une digue venait de céder, plus rien ne retenait rien, la Peugeot des Mouchotte passa à son tour en tournoyant lentement comme une grosse toupie, percutant ici un mur, plus loin un panneau de circulation qui se tordit sous le choc. Quelques minutes plus tard, le torrent de plus en plus impétueux, roulant par vagues, charria la voiture municipale qui s'était retournée sur elle-même avec, dans son sillage, la clôture de l'hôtel de ville.

Mme Courtin se mit à pleurer. Sans doute avait-elle peur, tout comme lui, mais avant tout elle pleurait sur ce qu'elle avait toujours connu et qu'elle voyait disparaître à une vitesse confondante. Chacun devait prendre ce malheur pour une épreuve qui lui était personnellement destinée.

Antoine ne put s'empêcher de passer son bras autour des épaules de sa mère, mais ce fut en vain. Mme Courtin s'était absentée, fascinée, sidérée par le spectacle des torrents qui dévalaient la rue, brisant tout, cassant tout, n'épargnant rien. Antoine vit passer en un défilé surprenant tous les meubles du rez-de-chaussée du collège, comme s'ils s'étaient jetés à l'eau d'un seul mouvement, ça lui fit un choc. L'inondation se rapprochait de sa vie, l'envahissait.

Il pensa soudainement à Rémi.

L'eau allait monter, monter, atteindre le haut de la colline, le bois de Saint-Eustache et déloger Rémi, son corps, libéré, se mettrait à flotter et quitterait sa cachette. Dans quelques minutes, la ville entière verrait passer le cadavre du petit Rémi circulant par les rues comme un fantôme, il serait sur le dos, les bras largement écartés, la bouche ouverte, on le retrouverait à des kilomètres d'ici…

Antoine était maintenant trop épuisé pour pleurer lui aussi.

Ils restèrent ainsi quelques longues heures. Antoine allait régulièrement voir jusqu'où l'eau montait depuis le rez-de-chaussée. Elle avait presque atteint la hauteur du plateau de la table de la salle à manger.

Puis l'orage s'éloigna peu à peu.

Vers 17 heures, il tombait sur Beauval une pluie forte et dense, mais qui n'avait plus rien à voir avec les pluies torrentielles du début de journée. Il était impossible à Antoine et à sa mère de quitter leurs chambres, le rez-de-chaussée entier était immergé sous plus d'un mètre d'eau. Les plafonds gouttaient de partout, toutes les literies étaient inondées, nulle part où se mettre à l'abri de l'humidité. Il commençait à faire froid. Enfermés chez eux sans électricité, sans téléphone, ils étaient des rescapés dans l'attente des secours.

L'hélicoptère de la Sécurité civile passa une fois au-dessus de Beauval en reconnaissance, on ne le revit plus. La ville était abandonnée à elle-même. Personne ne pouvait sortir de chez soi tant que l'eau resterait à un tel niveau.

La nuit tomba sur ce paysage désolé, dont Mme Courtin et Antoine ne voyaient que l'extrait visible de leurs fenêtres.

Bien que les rues ne soient plus éclairées, vers 20 heures, on crut discerner dehors que le niveau de l'eau descendait. Le torrent de la rue s'était considérablement apaisé. Au rez-de-chaussée aussi l'eau commençait à s'évacuer lentement. Le niveau baissait sensiblement. Mais il régnait dans l'air un étrange parfum d'apocalypse parce que, après avoir laissé sa place à l'orage et aux pluies, le vent donnait l'impression de réclamer le fin mot de cette histoire.

À mesure que l'eau s'écoulait, il forcissait. On sentit de nouveau les maisons trembler sur leurs bases, les portes ployer comme sous la pression de gigantesques mains.

Le bruit des rafales montait, comme le grondement des cheminées, des fenêtres et des portes…

Antoine et Mme Courtin n'eurent que le temps de fermer à nouveau tous les volets de l'étage.

Une seconde tempête succéda à la première.

Après Lothar qui l'avait précédée de quelques heures, celle-ci fut baptisée « Martin ».

Des deux, elle fut la plus violente, la plus dévastatrice.

Les toits seulement éventrés furent définitivement arrachés, les voitures immobilisées par les torrents d'eau reprirent leur route hasardeuse sous la poussée de bourrasques, dont certaines atteignirent deux cents kilomètres à l'heure…

Mme Courtin s'était blottie au sol dans un coin de sa chambre, la tête rentrée dans les épaules.

Elle paraissait d'une fragilité totale, Antoine en fut bouleversé. Il se confirma une nouvelle fois dans la certitude qu'il ne pourrait jamais lui faire de peine.

Il vint se serrer contre elle.

Ils restèrent ainsi toute la nuit.

13

À l'aube, la ville s'éveilla en état de choc. Une à une les portes des maisons s'ouvrirent, un à un les habitants passèrent la tête et sortirent hagards, terrifiés.

Mme Courtin, écrasée de fatigue, prit elle aussi la mesure du désastre. Le rez-de-chaussée était entièrement recouvert de boue. Le mobilier était détrempé, la trace de l'eau dessinait une ligne droite à plus d'un mètre du sol, toute la maison sentait la vase, et quoi faire ? Plus d'électricité, pas de téléphone… Il régnait un calme nouveau, une sorte de temps suspendu, avec ce quelque chose dans l'air qui vous fait dire que c'est terminé. Mme Courtin le ressentit elle aussi, comme les autres. Antoine la vit se redresser lentement. Elle s'éclaircit la voix, s'avança d'un pas plus assuré. Elle sortit, aperçut le sapin qui s'était couché, fit quelques pas, se retourna vers le toit. Elle demanda alors à Antoine de se rendre à l'hôtel de ville, voir si on pouvait avoir du secours.

Antoine enfila un manteau, ses chaussures, et traversa le jardin saturé d'eau. Ça n'était pas le premier commentaire qui venait à l'esprit, mais si l'on y regardait de plus près, sa mère et lui faisaient partie des heureux, leur toiture avait été miraculeusement épargnée, beaucoup de tuiles s'étaient déplacées, plusieurs s'étaient envolées et écrasées au sol, mais les dommages étaient restreints.

Les Desmedt avaient eu moins de chance. La cheminée, renversée par une bourrasque, s'était effondrée, avait crevé le toit et traversé la maison du haut en bas, jusqu'à la cave, emportant dans sa chute tout le bloc sanitaire et la moitié de la cuisine.

Bernadette, enroulée dans un peignoir sur lequel elle avait passé une parka trop grande pour elle, était dehors. Elle regardait en l'air. Dans sa traversée de la maison, la cheminée avait emporté la literie de la chambre de Rémi. On frémissait à l'idée que l'enfant aurait pu être surpris dans son lit, que le plafond aurait pu s'effondrer sur lui... Il serait mort à cet ins-tant... Débordée par l'ampleur de la tragédie qui la frappait depuis deux jours, Bernadette

paraissait ne plus rien ressentir. Sa petite silhouette grêle ressemblait à une épave.

M. Desmedt apparut à la fenêtre de la
chambre de Rémi, l'air abasourdi lui aussi,
comme s'il était venu chercher son fils et ne
l'avait pas trouvé.

Valentine descendit à son tour les quelques
marches du perron pour rejoindre sa mère
dans le jardin. Elle portait les mêmes vêtements que la veille, mais son jean rouge et
son petit blouson en skaï blanc étaient sales
comme si elle s'était battue toute la nuit avec
quelqu'un. Décoiffée et pâle, elle avait jeté sur
ses épaules un châle écossais qui devait appartenir à sa mère, son maquillage faisait des traî-
nées sombres sur son visage. Antoine ne sut
d'où lui venait cette image, mais dans ce décor
de fin du monde la petite adolescente sexy et
arrogante de la veille avait l'air d'une jeune
prostituée poussée sur le trottoir.

La maison d'à côté, celle des Mouchotte,
avait vu ses volets arrachés, la marquise s'était
écroulée et le jardin était hérissé de morceaux
de verre larges comme des assiettes qui se dis-
putaient l'espace avec une quantité impres-
sionnante de tuiles brisées.

Antoine aperçut, collé à la fenêtre, le visage
d'Émilie, fatigué, il leva brièvement la main à
son intention, mais elle ne répondit pas. Elle

fixait un point obscur quelque part dans la rue. Ainsi encadrée par la fenêtre, figée et sans expression, elle ressemblait au portrait d'une petite fille des temps anciens.

Ses parents eux aussi s'affairaient déjà. M. Mouchotte, avec des gestes saccadés d'automate, remplissait des sacs en plastique de tout ce qui était épars dans le jardin. Son épouse, qu'Antoine trouvait toujours d'une beauté folle, tirait Émilie par la manche comme si regarder dans la rue était inconvenant.

En marchant vers le centre-ville, Antoine découvrit un paysage de ville bombardée.

Plus une seule voiture n'était à sa place. Emportées par les bourrasques, elles avaient dérivé jusqu'à la sortie de Beauval et, retenues par les piliers du pont de chemin de fer qui enjambait la route, elles s'étaient amoncelées les unes sur les autres en une montagne de ferraille. Les motos, les scooters, les vélos, plus légers, avaient été éparpillés, on en trouvait dans les caves, sous les voitures, dans les jardins, dans la rivière, un peu partout. Plusieurs vitrines avaient explosé, le vent s'était engouffré dans les magasins et avait disséminé dans la ville des produits pharmaceutiques gorgés d'eau, des objets de quincaillerie démantelés, les cadeaux du bureau de tabac de M. Lemercier. Les propriétaires qui n'avaient perdu que quatre ou cinq douzaines de tuiles pouvaient s'estimer heureux, parce que les autres n'avaient tout simplement plus de toit.

La grue d'un chantier voisin s'était couchée sur le lavoir, dont la charpente du XVe siècle n'était plus qu'un souvenir. Dans les jardins et sur les gravats des maisons dévastées, on trouvait parfois un berceau de bébé, une poupée, une couronne de mariée, des petits objets que Dieu semblait avoir déposés là avec délicatesse pour montrer qu'avec Lui, tout doit se comprendre au second degré. Le jeune curé (sans doute très occupé à expliquer à ses ouailles de tout le département que ce qu'il leur arrivait était, en fait, une belle et bonne chose, il avait du pain sur la planche, celui-là...) pourrait mesurer, lorsqu'il reviendrait, que Dieu est un être d'une extrême sensibilité, mais aussi un sacré farceur : l'église avait été relativement épargnée à l'exception de la rosace, les vitraux avaient tous volé en éclats, sauf un seul représentant saint Nicolas, souvent considéré comme le patron des réfugiés.

Le platane de la place de la mairie, déraciné par le vent, était couché en travers de la rue principale où il avait écrasé une camionnette, séparant la ville en deux tronçons aussi dévastés l'un que l'autre. Une caravane charriée par les flots torrentiels depuis le camping

municipal avait explosé contre le mur de l'hôtel de ville, sur le trottoir étaient jetés pêle-
mêle des couverts en plastique, des matelas,
des portes de placards, des lampes de chevet,
des coussins, des provisions.

Antoine trouva une douzaine de personnes à
la mairie venues elles aussi chercher de l'aide,
du secours. Chacune, énumérant ses dégâts,
semblait la plus touchée de la ville ; ici on avait
des enfants en bas âge, de vieux parents à abriter, là on expliquait que la maison menaçait de
s'effondrer. Et tous avaient raison.

M. Weiser descendit de son bureau, l'air
affairé, avec des papiers à la main. Théo le suivait.
Parvenu dans la cour de la mairie, devant le petit
groupe rassemblé, le maire tenta d'expliquer
des choses que personne n'avait envie d'entendre. Les pompiers devaient être débordés, et
de toutes les manières, il était impossible de les
appeler parce qu'il n'y avait plus de téléphone.
La préfecture, avec l'EDF, avait sûrement préparé un plan d'intervention pour rétablir le
courant, mais on ne savait pas si le délai se comp-
terait en heures ou en jours… Le groupe poussa
les hauts cris.

— Nous devons nous organiser nous-mêmes,
cria le maire en brandissant ses papiers. Il faut
d'abord faire l'inventaire des besoins. La salle

du conseil municipal centralisera les demandes qui permettront de dégager les priorités.

Il recourait, pour l'occasion, à un vocabulaire administratif censé exprimer la compétence et le volontarisme :

— Le gymnase n'a pas été trop touché. Le plus urgent est de l'ouvrir pour accueillir toutes les personnes qui n'ont plus d'abri, faire de la soupe pour tout le monde, chercher des couvertures…

M. Weiser parlait d'une voix ferme. Dans le chaos ambiant, les évidences qu'il énonçait avaient l'aspect rassurant des tâches dont on aperçoit les contours.

— Pour rétablir la circulation à l'intérieur de Beauval, il faut débiter le platane qui a été abattu, poursuivit-il. Et pour tout ça, il nous faut des bras… Beaucoup de bras. Que ceux dont les dégâts peuvent attendre viennent à l'aide de ceux qui sont le plus en difficulté.

Mme Kernevel arriva, très agitée.

— Me Vallenères est allongé dans son jardin ! annonça-t-elle. Il est mort, il a été tué par un arbre.

— Vous… êtes certaine ?

Comme si les dégâts matériels ne suffisaient pas, voilà maintenant qu'il y avait des morts.

— Ah oui ! Je l'ai bousculé, il ne bouge plus, il ne respire plus…

Antoine fut renvoyé à la mort de Rémi. Il se revit lui aussi tenter de le réveiller.

— Il faut aller le chercher, dit le maire. Tout de suite… Et le remonter chez lui.

Il s'interrompit. Il réfléchissait sans doute aux mesures qu'il aurait à prendre si les secours tardaient, comment allait-on faire avec un mort ? Ou avec plusieurs ? Et où les mettrait-on ?

— Qui va aller s'occuper de sa fille ? demanda quelqu'un.

M. Weiser se passa la main sur le crâne.

Pendant ce temps, d'autres personnes étaient arrivées, dont deux conseillers municipaux qui étaient allés se ranger derrière le maire. Des voix proposèrent un abri, on savait où trouver des couvertures, quelqu'un se déclara volontaire pour le gymnase. Une solidarité balbutiante se faisait timidement jour, M. Weiser annonça qu'une réunion se tiendrait dans une heure dans la salle du conseil, à laquelle tous pourraient participer, on déciderait…

Une voix rugissante s'éleva de derrière le groupe.

Les têtes se tournèrent.

— Et mon fils, alors ! hurlait M. Desmedt. Qui va nous aider à le retrouver ?

190

Il s'était arrêté à quelques mètres, les bras ballants, les poings serrés... Ce qui frappait dans ce cri, c'est qu'il ne portait pas la fureur à laquelle on se serait attendu de sa part. Ce qu'il exprimait était de la détresse pure.

— Est-ce qu'on ne devait pas faire une battue ce matin ?

Sa voix avait baissé d'intensité et la tonalité de sa question était plutôt celle d'un homme égaré qui demande son chemin.

Tous ceux qui étaient là avaient participé, la veille, à la battue organisée par la gendarmerie et aucun n'était suspect de se désintéresser de la situation de M. Desmedt, mais il y avait un tel décalage entre ce qu'il réclamait et la réalité qui s'étalait aux regards de tous que personne n'eut le courage de se lancer dans l'explication nécessaire.

M. Weiser, à qui revenait la charge de le faire, se racla la gorge, mais il fut coupé dans son élan par une voix claire et ferme :

— Est-ce que tu te rends bien compte de la situation, Roger ?

Tout le monde se retourna.

M. Mouchotte avait croisé les bras dans la position du donneur de leçons qu'il était. Le père d'Émilie était un homme perpétuellement drapé dans la morale. Avant d'être licencié, il avait été un contremaître pénible, tatillon,

jamais tenté par la générosité ou l'indulgence.
À quelques mètres de distance, il faisait face
à M. Desmedt, son ennemi intime. Tout le
monde avait en tête la gifle retentissante que
le père de Rémi lui avait collée du temps qu'ils
travaillaient ensemble, M. Mouchotte avait
reculé de deux mètres et s'était assis dans un
bac de copeaux, les rires avaient fusé, ajou-
tant le ridicule à l'humiliation. M. Weiser avait
mis deux jours à pied le coupable, mais s'était
refusé à le licencier. Sans doute, comme tout
un chacun, voyait-il dans cette situation plus
cocasse que réellement violente un juste retour
des choses.

— Toutes les communications sont cou-
pées, reprit M. Mouchotte, la ville est sinistrée,
des familles entières sont à la rue, tu penses
peut-être que tu as droit à une priorité ?

Ce qu'il disait était vrai, terriblement injuste,
et reposait sur un désir de revanche d'une
telle bassesse qu'elle décourageait les énergies.
Antoine lui-même aurait voulu répondre.

En temps ordinaire, M. Desmedt se serait
précipité, il aurait fallu les séparer. Ce ne fut
pas nécessaire, M. Desmedt n'esquissa pas un
geste. C'est la réponse à laquelle il s'attendait
et qu'elle vienne sous cette forme honteuse n'y
changeait rien.

Le maire s'interposa mollement :

— Allons, allons, disait-il, mais les mots n'arrivaient pas.

Ce n'était pas seulement l'impossibilité d'aider M. Desmedt qui vous étreignait, mais l'impression que la disparition de son petit garçon, aussi tragique soit-elle, serait désormais reléguée au second plan et qu'écartée par des malheurs qui touchaient chacun, elle ne redeviendrait plus jamais une affaire collective.

On ne pouvait pas continuer de chercher cet enfant, on acceptait sa disparition.

S'il s'était perdu et avait été vivant au cours des dernières heures, il ne l'était plus.

On en était réduit à espérer qu'il avait été enlevé…

Le silence qui suivit préfigurait pour M. Desmedt la solitude qui désormais serait la sienne.

M. Mouchotte, satisfait d'avoir remporté une victoire pourtant déshonorante, s'avança vers le maire et proposa ses services, s'il y avait quelque chose à faire pour venir en aide ici ou là…

Au retour, Antoine tenta de récupérer un peu de matériel pour nettoyer la maison, une lampe de poche ou des piles électriques, il n'avait pas d'argent sur lui, un jour pareil on lui ferait bien crédit, mais le rideau de fer tout cabossé de la quincaillerie était encore baissé.

Il eut alors l'idée de filer à l'église chercher des cierges.

En entrant, il croisa Mme Antonetti chargée d'un lourd cabas, qui le fixa avec une insistance goguenarde.

Sur les présentoirs, il ne restait plus un seul cierge.

14

Ces deux tempêtes successives, cet orage, ces pluies diluviennes avaient créé un tel choc que, dans l'esprit d'Antoine, tout ce qui les avait précédés s'était en quelque sorte estompé. Quelques heures plus tôt, il avait imaginé avec terreur le corps de Rémi délogé de Saint-Eustache, emporté par le torrent et traversant la ville, il l'avait vu, flottant sur le dos comme un poisson mort, passer devant sa maison, devant celle de ses parents... Ça n'est pas comme cela que les choses arriveraient. Les événements, aussi dramatiques soient-ils, fournissaient à Antoine un répit inattendu. Le corps serait peut-être retrouvé à des kilomètres de Beauval, la tempête avait sans doute balayé bien des indices...

Ou ce n'était que partie remise et dans quelques jours, les recherches reprendraient.

S'il était encore en place, le corps de Rémi n'était pas si bien caché qu'il puisse échapper à une seconde battue.

Le sort d'Antoine était maintenant régi par une incertitude profonde à laquelle il commençait à s'accrocher.

Mme Courtin s'était attelée au nettoyage de la maison armée d'un balai et de quelques serpillières, tâche sans fond… Antoine expliqua les mesures prises par la mairie, qui ne changeraient pas grand-chose à leur propre situation.

— On nous laisse tomber ! grommela-t-elle.

— Mᵉ Vallenères est mort…

— Ah oui ? Comment ça ?

Mme Courtin, son fichu sur la tête, s'interrompit, les mains encore serrées sur la serpillière au-dessus du seau.

— Il paraît qu'un arbre est tombé sur lui…

Mme Courtin reprit sa tâche, plus lentement. Elle était de ces êtres chez qui la réflexion empiète souvent sur les autres fonctions.

— Et sa petite, alors, qu'est-ce qu'elle va devenir ?

Antoine fut ému par cette perspective. Qui, le dimanche, pousserait la petite fille décharnée dans la travée centrale de l'église ? Qui, en été, la promènerait au centre-ville, l'arrêterait devant les boutiques où elle n'entrait jamais, lui offrirait une glace qu'elle mangerait gravement, assise parmi les autres clients à la terrasse du Café de Paris ?

Ordinairement, à Beauval, les évolutions étaient lentes, les changements progressifs. La rapidité et la violence avec lesquelles les événements s'étaient succédé depuis trois jours prenaient le village de court, le paysage changeait vite, trop vite.

Antoine repensa à M. Weiser que, comme tout le monde ici, il n'aimait guère. Mais il songea aux efforts qu'il avait déployés pour mobiliser les quelques volontés disponibles. Il avait montré, dans la circonstance, une énergie tout entière tournée vers la collectivité, alors que – on l'apprendrait dans la journée – le toit de son usine s'était envolé et qu'il y avait des mesures urgentes à prendre pour sécuriser les machines, abriter les stocks, préserver ce qui pouvait encore l'être et qu'il aurait été justifié qu'il pense à lui, comme faisaient la plupart des autres.

Puisqu'ils avaient encore un toit et une maison debout, se dit alors Antoine, ne fallait-il pas, par exemple, qu'ils aillent aider les Desmedt ?

— Parce que tu crois que je n'ai que ça à faire, moi ?

La réponse de sa mère avait fusé avec une spontanéité choquante.

Le platane du centre-ville fut débité en début d'après-midi devant un parterre silencieux. On s'interrogeait sur son âge, il était plus ancien que les souvenirs des habitants. Maintenant, la place était nue comme la main.

Un nombre considérable d'arbres s'étaient couchés sur les routes autour de Beauval, empêchant les techniciens d'intervenir. Les communications restèrent difficiles pendant deux jours.

L'électricité revint enfin, puis le téléphone.

La maison des Courtin puait la vase, tout le mobilier était à changer, on commençait à remplir des imprimés pour les assurances, des formulaires pour le département qui promettait des aides rapides, qu'en fait on attendrait longtemps et dont la plupart n'arriveraient jamais. Blanche Courtin travaillait comme une fourmi, silencieuse, concentrée, mais agacée pour un rien, brutale et soudaine dans ses gestes comme dans ses réactions.

Antoine se livra à quelques travaux d'intérêt général en compagnie de Théo, Kevin et quelques autres. Le passage de ces deux tempêtes avait remisé au magasin des souvenirs les différends entre Antoine et Théo, les garçons du collège faisaient tous assaut de bonne volonté vis-à-vis des familles en difficulté, délaissant parfois la leur, et donnaient l'impression d'une armée de scouts.

Enfin, n'y tenant plus, Antoine s'échappa et prit le chemin de Saint-Eustache.

Les arbres de la forêt communale étaient tombés par centaines. Aux endroits où la tornade s'était engouffrée, leur chute avait dessiné d'impressionnants couloirs parfaitement rectilignes.

Le décor, à Saint-Eustache, était plus spectaculaire encore. Il était tout simplement impossible d'y pénétrer, le bois paraissait avoir été littéralement rasé, tout était par terre... Quelques rares arbres, pour une raison étrange et incompréhensible, avaient tenu le coup et se donnaient des allures de vigies plantées sur un décor dévasté.

Antoine revint songeur.

Mme Courtin avait exhumé du grenier un vieux poste transistor qu'elle avait doté des piles glanées dans divers appareils de la maison. Elle penchait la tête vers le petit poste crachotant, on se serait cru revenu au temps de l'Occupation...

— Tais-toi, Antoine, laisse-moi écouter !

Le capitaine de gendarmerie assurait que l'enquête concernant la disparition du petit Rémi Desmedt « *ne connaîtrait pas de répit* », mais les alentours de Beauval avaient été à ce point dévastés que de nouvelles battues ne pourraient pas être menées. La gendarmerie, fortement mobilisée, etc.

Les conséquences de la tempête dans le canton étaient l'objet du « Dossier du soir ».

M. Weiser, interviewé, expliquait que toute son activité était consacrée à convaincre des entreprises de venir débiter les centaines d'hectares d'arbres tombés au sol et appartenant à la commune afin qu'ils ne soient pas perdus.

Quant au bois de Saint-Eustache, objet de discussions sans fin entre un nombre trop élevé d'héritiers – sans compter ceux que personne n'avait pu retrouver – et ne présentant aucune valeur marchande, il resterait en l'état.

Antoine monta dans sa chambre. Rémi était mort, disparu.

C'était fini.

Rémi Desmedt devenait un souvenir et pour très longtemps. Lorsque le bois, un jour lointain, serait enfin réinvesti, ce qu'on retrouverait de l'enfant mort serait bien peu de chose.

Et de toute manière Antoine serait loin.

Car dès cet instant, il n'eut plus qu'une idée en tête : quitter Beauval.

Et ne plus jamais y revenir.

2011

15

Les années n'eurent jamais aucune prise sur les principes de Mme Courtin. Antoine avait appris très tôt qu'il était aussi épuisant qu'inutile de s'y opposer. Alors, d'accord, il se rendrait à la soirée chez M. Lemercier, il y serait vers 19 heures, je te promets. Tout ce qu'il obtint fut de ne pas y rester trop longtemps ; ses examens à préparer constituaient toujours, vis-à-vis de sa mère, un alibi inattaquable.

En attendant l'appel de Laura, il avait décidé de marcher un peu. Sans elle, il s'ennuyait vite, sa présence lui manquait, ses bras frêles et souples, son haleine tendre. Il avait hâte de la retrouver… et une furieuse envie de la baiser. C'était une jeune femme brune très stimulante, sans interdits, et à qui le désir et la jouissance étaient aussi nécessaires que l'air et la nourriture. Intelligente, passablement cinglée, elle était capable de se lancer à corps perdu dans des histoires troublantes, mais elle disposait d'un sens aigu de son intégrité qui la mettait toujours hors de danger à la première alerte. Cette fille qui promettait de devenir une clinicienne de qualité pouvait aussi entraîner Antoine dans des aventures sulfureuses avec une rare tonicité, la vie avec Laura était un feu d'artifice, une perpétuelle promesse dans laquelle Antoine s'immergeait avec bonheur, passion. Laura était la rive lumineuse de son existence. Parfois, il adorait ces moments de séparation avec elle, si tristes et si prometteurs. Et parfois, comme aujourd'hui, l'éloignement lui pesait, il se sentait terriblement seul. La relation avec Laura avait été d'emblée explosive, à l'image de la jeune femme elle-même, qui ne concevait les rapports amoureux que passionnés, momentanés et hautement révocables. Et puis, cela avait duré, duré, voilà trois ans maintenant qu'ils étaient ensemble. Ils s'étaient retrouvés dans un désir commun de vivre sans enfant, chose rare chez une jeune femme et qui convenait à merveille à Antoine : il n'imaginait pas porter le poids, la responsabilité, la vie d'un enfant, c'était impossible, il paniquait rien que d'y penser. Puis Antoine, qui n'avait de cesse de partir le plus loin possible, avait évoqué son désir de s'engager, à l'issue de ses études, dans l'action humanitaire, à quoi Laura avait songé elle aussi. Leur relation, nouée autour d'une sexualité efflorescente et débridée, s'était encore resserrée autour de ce projet commun. Un jour, Laura avait dit : « Pour l'humanitaire, administrativement, ce serait plus pratique si on était mariés… », phrase prononcée distraitement, comme elle aurait évoqué un produit à ajouter sur la liste des courses, mais qui avait plongé Antoine dans une réflexion nouvelle et avait peu à peu creusé un sillon dans son esprit.

À présent, la perspective d'épouser Laura lui faisait du bien, l'idée qu'à sa manière elle l'avait demandé en mariage le réconciliait un peu avec lui-même.

Il avait besoin de piles pour la souris de son ordinateur portable. Il sortit pour aller en ville.

Quand il quittait le domicile de sa mère, il ne pouvait s'empêcher de jeter un regard vers le jardin de ce qui avait été autrefois la maison des Desmedt. Rénovée, quasiment reconstruite, elle accueillait maintenant un couple d'une quarantaine d'années et leurs filles jumelles avec qui Mme Courtin entretenait des rapports cordiaux mais distants parce que ces gens n'étaient pas vraiment d'ici.

Après la tempête, les Desmedt avaient obtenu un logement social aux Abbesses, un quartier excentré de Beauval. M. Desmedt avait étonnamment échappé à la vague de licenciements du début de l'année 2000, rendus nécessaires par l'état de l'usine Weiser. Une rumeur courut, on l'aurait maintenu à son emploi par pitié pour sa situation. M. Mouchotte avait alors répandu pas mal de vilains bruits à ce sujet, qui s'étaient arrêtés d'eux-mêmes parce que M. Desmedt avait été victime d'une rupture d'anévrisme quelques mois plus tard, il était mort dans son lit pendant son sommeil.

Mme Desmedt, elle, avait beaucoup vieilli, visage marqué, démarche lasse. Antoine la croisait parfois, elle était maintenant forte et marchait lourdement comme si elle avait fait des ménages toute sa vie.

La mère d'Antoine n'était pas restée amie avec elle. Elle s'était même comportée comme si elles s'étaient fâchées, qu'un épisode secret et indépassable les avait séparées. Depuis que Bernadette avait été relogée aux Abbesses, elles n'avaient plus guère l'occasion de se croiser, sauf de temps à autre chez les commerçants, mais c'était bonjour bonsoir, la tempête avait balayé leur ancienne solidarité de voisinage. Personne n'y avait prêté attention, pas même Mme Desmedt. Dans cette période douloureuse et confuse, des camaraderies s'étaient éteintes, des sympathies nouvelles, parfois inattendues, s'étaient créées, les malheurs qui s'étaient abattus sur la ville avaient profondément redistribué le jeu des relations entre les habitants. Concernant sa mère et Mme Desmedt, Antoine en savait évidemment plus long que les autres, mais cela faisait partie d'une époque dont ils parlaient rarement, réduite par Mme Courtin à « la tempête de 99 », comme s'il ne s'était passé de notable à Beauval que des chutes d'arbres et l'envol de quelques toitures.

Elle était restée longtemps préoccupée, suivant attentivement les actualités régionales, lisant le journal chaque matin, ce qu'elle n'avait jamais fait auparavant. Son inquiétude s'était peu à peu endormie, elle avait éteint le téléviseur et n'avait pas renouvelé son abonnement au quotidien.

Antoine prit à droite vers le centre-ville. Il ressentait toujours la même chose. Il détestait tout, cette maison, cette rue. Il haïssait Beauval.

Il s'en était échappé dès le lycée, sa mère avait été surprise qu'il préfère l'internat. Aujourd'hui, il revenait encore pour la voir, mais le moins souvent et le moins longtemps possible ; il était angoissé plusieurs jours avant, repartait vite, trouvait des prétextes sans cesse nouveaux.

Dans la vie courante, il oubliait. La mort de Rémi Desmedt était un fait divers ancien,

207

un souvenir d'enfance pénible, des semaines passaient sans malaise. Antoine n'était pas indifférent : son crime n'existait plus. Puis soudain, un petit garçon dans la rue, une scène au cinéma, la vue d'un gendarme déclenchait en lui une peur incoercible, impossible à maîtriser. La panique s'emparait de lui, l'imminence de la catastrophe engloutissait sa vie, il devait déployer des efforts gigantesques pour faire retomber toute cette pression à grands coups de respiration lente, d'autopersuasion et surveillait les palpitations de son imaginaire comme un moteur dont on guette avec anxiété le refroidissement après une brusque surchauffe.

La terreur, en fait, ne lâchait jamais prise. Elle sommeillait, s'endormait, et elle revenait. Antoine vivait avec la conviction que, tôt ou tard, ce meurtre le rattraperait et ruinerait sa vie. Il encourait une peine de prison de trente ans, diminuée de moitié parce qu'il était mineur au moment des faits, mais quinze ans, c'était toute une vie parce que, après cela, il n'y aurait jamais plus de vie normale, un assassin d'enfant ne redevient jamais quelqu'un de normal parce qu'un assassin de douze ans n'est jamais considéré comme quelqu'un de normal.

L'information judiciaire n'avait jamais été officiellement clôturée, Antoine ne pouvait même pas espérer une prescription.

Tôt ou tard, une tempête d'une force inattendue se lèverait et, avec une puissance décuplée par son ancienneté, ravagerait tout sur son passage, son existence, celle de sa mère, de son père, elle ne viendrait pas seulement le tuer, elle le ferait entrer dans l'histoire, son nom, son visage deviendraient célèbres, pour très longtemps, rien de ce qu'il était à présent n'y survivrait, il serait le « tueur d'enfant », « l'enfant meurtrier », « l'assassin en herbe », un nouveau cas de figure pour la criminologie, une vignette clinique supplémentaire pour la pédopsychiatrie.

C'est pourquoi il désirait avant tout partir, très loin, il savait qu'il s'éloignerait de Beauval avec des images qui, à l'autre bout du monde, continueraient de le hanter, mais du moins était-il soulagé de n'être plus obligé de croiser ceux qui étaient de près ou de loin mêlés à son drame.

Laura le trouvait parfois en nage, fébrile, survolté, ou au contraire abattu, vidé de toute force et déprimé. Ces crises de panique qui survenaient sans prévenir, elle ne se les expliquait pas et la vocation d'Antoine pour l'humanitaire lui semblait même parfois compromise. Aussi, étant de ces femmes qui ne se résolvent jamais à ignorer éternellement le fond des choses, revenait-elle régulièrement sur le sujet. En vain.

Antoine ne l'avait jamais emmenée sur les lieux où il avait vécu. Lorsqu'il s'y résoudrait, sans doute alors pourrait-elle parler à ses proches, comprendre, et enfin l'aider.

Il arrivait à l'hôtel de ville lorsque Laura l'appela.

— Alors, demanda-t-elle, ta maman…

Mme Courtin ne connaissait pas l'existence de Laura. C'était, de la part d'Antoine, un secret mystérieux et irrationnel qui, quelque temps, avait vexé la jeune femme, mais il n'était pas dans son tempérament d'attacher trop d'importance à des événements purement sociaux. Elle en plaisantait et s'en amusait d'autant plus qu'Antoine en était gêné.

— Elle ne m'en veut pas de mon absence, j'espère…

Cette fois, Antoine ne fut pas embarrassé, il avait envie de Laura, le sexe avait toujours été chez lui un puissant anxiolytique. Sans attendre, il se mit à lui murmurer des choses primaires et impatientes qui bientôt la rendirent muette. Il lui parlait comme s'il avait été couché sur elle et qu'elle fermait les yeux. Puis il s'interrompait et laissait couler de longs silences saturés de désir pendant lesquels il écoutait sa respiration tendue.

— Tu es là ? demanda-t-elle enfin.

Le silence, soudain, n'était plus le même. Antoine n'était plus sur elle, il était ailleurs, elle le sentit.

— Antoine ?

— Oui, je suis là…

Sa voix hurlait le contraire.

Dans la vitrine de M. Lemercier, il avait toujours vu, dans le coin à droite, le portrait de Rémi Desmedt qui jaunissait un peu plus chaque année. La disparition de l'enfant surgissait encore dans les conversations, on ne se résout jamais à un mystère pareil, mais l'appel à témoins avait vieilli, lorsqu'il était tombé, on ne l'avait pas remis, on ne le voyait plus guère qu'à la gendarmerie, au milieu d'une dizaine d'autres venant de différentes régions, et là, chez M. Lemercier.

— Antoine ?

L'avis s'était déplacé. Il n'était plus, comme avant, collé à l'extrémité de la vitrine, il avait été recentré. Et ce n'était plus l'ancien imprimé aux teintes passées, mais un portrait vif, agrandi, actuel.

À côté de l'enfant à la mèche lissée et au T-shirt portant un petit éléphant bleu, on voyait un adolescent qui lui ressemblait étrangement. Un logiciel de morphing avait été chargé d'imaginer Rémi Desmedt à dix-sept ans.

— Antoine !

L'avis ne décrivait plus les vêtements qu'il portait à l'époque et ne mentionnait plus que la date de sa disparition, le jeudi 23 décembre 1999. Antoine voyait dans la vitrine son propre reflet se superposer étrangement au visage de cet adolescent qu'il n'avait pas connu et dont il était seul à savoir qu'il n'existait pas. Ce que chacun à Beauval pouvait espérer, que le petit Rémi soit encore en vie, qu'il ait grandi quelque part en ayant oublié qui il était, était une illusion, un mensonge.

Il pensa à Mme Desmedt. Avait-elle sur son buffet un exemplaire de cet avis ? Regardait-elle chaque matin cet enfant qu'elle aimait sans doute toujours et ce jeune homme qu'elle ne connaissait pas ? Espérait-elle le voir un jour vivant ou avait-elle renoncé ?

Antoine répondit enfin à Laura, mais le fil était rompu. Il avait repris sa marche, il se sentait nerveux, l'excitation sexuelle avait cédé devant une angoisse diffuse. Oui, je suis là, disait-il à Laura, mais il avait envie de monter en voiture, de s'enfuir.

— Tu rentres quand ? demanda Laura.

— Très vite, après-demain… Demain. Je ne sais pas. Il aurait voulu dire : tout de suite.

Abandonnant son projet de course, il revint vers la maison, monta dans sa chambre, commença à lire et à prendre des notes, mais cette

affiche l'avait mis mal à l'aise, il restait soucieux. Pourtant, il avait beau s'interroger,
hormis la découverte du corps, il ne voyait
pas quelle menace pouvait maintenant surgir.
L'enquête n'avait jamais été officiellement
abandonnée, mais personne ne cherchait plus
activement Rémi Desmedt. C'était une attitude
irrationnelle, mais il avait le sentiment que le
danger était incarné par cette ville elle-même
et n'existait que lorsqu'il s'en approchait.

Il s'était obligé deux ou trois fois à se rendre
du côté de Saint-Eustache. Le lieu restait abandonné, tel que la tempête l'avait laissé douze
ans plus tôt ; les arbres, entassés les uns sur les
autres, pourrissaient sur place, il était quasiment impossible de rentrer au cœur du bois.
Il savait en tant que médecin ce que, dix ans
plus tard, devait être la dépouille de Rémi Desmedt...

Et soudainement, avec cette image nouvelle
dans la vitrine de M. Lemercier, l'enfant mort
reprenait une forme de vie, une actualité aussi
fine et présente que dans ses cauchemars. Ce
qui avait changé avec les années, et qui attris-
tait Antoine, c'était moins d'être condamné à
n'en parler jamais à personne que de constater l'inversion de l'ordre des importances,
aujourd'hui l'essentiel n'était plus le petit garçon qu'il avait tué. Tous ses efforts, toute son

attention étaient tournés vers lui-même, vers son aspiration à la sécurité, à l'impunité. Il y avait quelque temps qu'il ne s'était pas réveillé en sursaut en voyant se balancer devant lui les petites mains molles de Rémi, qu'il n'avait pas entendu son cri déchirant lorsqu'il l'appelait au secours. Le personnage principal de cette tragédie, ce n'était plus la victime, mais l'assassin.

Il fut bientôt 19 h 30, il ne pouvait pas décemment arriver plus tard encore, il se mit en route.

M. Lemercier fêtait ses soixante ans. C'était la fin juin, il faisait déjà très doux, un temps presque estival. Barbecue dans le jardin, musique, guirlandes, l'attirail habituel, ça sentait la viande grillée, il y avait des petits tonneaux de vin blanc et rouge. On mangeait dans des assiettes en carton qui se pliaient en deux, avec des couteaux qui ne coupaient rien.

À Beauval, la vie se déroulait comme un mouvement d'horlogerie. La ville qui avait été autrefois agitée par une série de drames et de mystères avait retrouvé son cours paisible, quasiment stationnaire, les gens qu'Antoine y avait connus étaient les mêmes dix ans plus tard et en passe d'être remplacés par la génération suivante qui, à quelques détails près, était assez semblable.

214

— Il a fait les choses très bien, tu ne trouves pas ?

Mme Courtin faisait quelques heures de ménage par semaine chez M. Lemercier, un homme très correct, disait-elle, très convenable. Dans son langage, cela signifiait que, contrairement à M. Kowalski (chez qui elle ne travaillait plus depuis longtemps et dont elle ne parlait jamais), il payait ce qu'il devait en temps et en heure.

Antoine serra des mains, accepta un verre, un second, il mangea une grillade. Il passa, comme sa mère le lui avait recommandé, féliciter et remercier M. Lemercier, etc.

Mme Courtin, sa flûte en plastique à la main, discutait avec Mme Mouchotte. Le mouvement qui l'avait détachée de Bernadette Desmedt l'avait curieusement rapprochée de la mère d'Émilie, cette si jolie femme au visage sévère qui passait toujours la moitié de son temps à l'église et l'autre à son ménage. Lorsque les affaires de l'usine Weiser avaient repris, M. Mouchotte avait été réembauché, mais il avait conservé de cette longue parenthèse de chômage une amertume, une aigreur qui se lisaient sur son visage, rien ne trouvait grâce à ses yeux. M. Weiser, qui avait été à la fois son calvaire lorsqu'il avait dû le licencier et son sauveur le jour où il l'avait réembauché, concentrait la majeure part de sa rancune vis-à-vis d'un monde qui, selon lui, et définitivement, ne tournait pas comme il aurait fallu. Il avait accepté son retour à l'usine Weiser avec un air de satisfaction grave, à la manière d'un homme qui, à l'issue d'une longue période d'injustice, rentrait enfin dans son bon droit. Il avait toujours haï quelqu'un, M. Desmedt longtemps. Maintenant qu'il était mort, M. Weiser avait pris la première place dans l'ordre de ses détestations. Les deux hommes, séparés par la plus longue distance que le jardin de M. Lemercier permettait, se croiseraient toute la soirée sans se voir. Il paraît que, lorsqu'il devait lui donner des ordres à l'usine, M. Weiser ne l'appelait jamais autrement que « monsieur le contremaître ».

Quant à sa femme, pour Antoine, elle restait un mystère, la contradiction même. Cette grenouille de bénitier nichée dans un corps de mannequin parlait peu, souriait peu, ce qui lui donnait des faux airs de diva, de belle indifférente, dans lesquels Antoine croyait discerner une forme d'hystérie.

— Bonjour, docteur…

— Hé, salut, doc !

Émilie, blonde et souriante, tenait délicatement son verre en plastique comme un fruit. Théo, lui, achevait une saucisse en se léchant les doigts. Antoine ne les avait pas vus depuis longtemps, ça ne s'était pas trouvé. Il embrassa Émilie, Théo s'essuya maladroitement la main dans une serviette en papier puis la lui tendit. Jean déchiré, veste cintrée, chaussures pointues, sa tenue hurlait qu'il n'entendait pas appartenir à cette province, qu'il était d'une autre espèce. Il repartit avec les verres de chacun.

Antoine se sentait emprunté en présence d'Émilie, elle le regardait toujours d'une certaine manière.

— Et je te regarde comment ? demanda-t-elle, intriguée.

Antoine aurait été bien en peine de l'expliquer. Elle paraissait toujours sur le point de lui poser une question. Ou surprise par ce qu'il disait, ce qu'il était.

Avec le temps, Émilie ressemblait de plus en plus à sa mère à qui elle continuait de vouer un attachement passionnel, il n'y avait rien au-dessus. Qu'elle finisse par lui ressembler à ce point n'avait rien d'étonnant. Beauval, c'était un peu ça, une ville où les enfants ressemblaient à leurs parents et attendaient de prendre leur place.

Ils échangèrent quelques propos sur la fête. Antoine lui demanda des nouvelles de sa vie. Elle travaillait au Crédit agricole de Marmont.

— Fiancée, dit-elle en montrant une bague avec gourmandise.

Ah oui, Beauval était aussi une ville où l'on se fiançait encore.

— Théo ? demanda-t-il.

Émilie éclata de rire en mettant aussitôt sa main devant sa bouche.

— Non, dit-elle, avec Théo, certainement pas… !

— Je ne sais pas…, balbutia Antoine, un peu vexé que sa question passe pour aussi ridicule.

Elle exhiba sa bague une nouvelle fois.

— Jérôme est sergent dans l'armée de terre. Il est en poste en Nouvelle-Calédonie mais il attend sa mutation pour la France, c'est pour septembre, on se mariera à ce moment-là.

Antoine se sentit étrangement jaloux, non qu'il y ait un homme dans sa vie, mais que lui n'y soit jamais entré. Même autrefois, au collège, ils n'étaient jamais sortis ensemble, il avait l'impression d'avoir manqué toutes les occasions, de ne pas faire partie des hommes qu'elle trouvait séduisants, seulement de ceux qu'on fréquente parce qu'on les connaît depuis toujours ; il en était vexé lorsqu'il se souvenait combien la petite fille avait hanté ses fantasmes, au début de son adolescence. Il s'était fait des idées folles sur sa blondeur, il rougit.

— Et toi ? demanda-t-elle.

— Pareil... Je dois faire mon stage, terminer l'internat et ensuite on partira... Dans l'humanitaire.

Émilie approuva gravement. L'humanitaire, c'est bien. On lisait sur son visage que c'était un concept vide de sens, juste un mot, mais dont la connotation morale méritait le respect. La conversation était terminée. Quoi se dire ? Il y avait entre eux autant de non-dits que de souvenirs. Ils regardèrent le jardin, la petite assemblée qui criait, riait, le barbecue qui fumait, entendirent la musique qui s'échappait des enceintes placées le long de la maison où on distinguait, sous le crépi repeint, l'ancienne trace marquant le niveau que l'inondation avait autrefois atteint.

Théo revenait avec des verres en plastique, on reprit la conversation à trois, les généralités. Antoine les revit soudain sur le parvis de l'église, le soir de la messe de Noël. Et repensa à cette bagarre lorsque Théo avait répandu ces vilains bruits...

Il avala une gorgée de vin en regardant ailleurs.

À Beauval, il était inévitablement renvoyé à cette fin d'année 1999. Ce qui était arrivé à cette époque appartenait à une autre vie, même Beauval avait tourné la page, mais comme le mystère de la disparition de Rémi Desmedt n'avait jamais été élucidé, les braises sommeillaient que n'importe quel souffle pouvait réveiller ; lorsqu'il se trouvait ainsi entouré de monde, il se sentait menacé, tout était saturé de signes, sujet à interprétations, source d'angoisse...

— Antoine... !

Il mit quelques secondes à reconnaître Valentine, elle avait dû prendre un kilo par année. Elle se retourna, agacée, vers un mioche hurlant, arrête, je t'ai dit ! Avec un geste vif de la main comme si elle tentait de se débarrasser d'une guêpe insistante. Elle avait sur le bras un bébé qui mâchonnait une poignée de chips. Son mari, un beau garçon au physique de bûcheron et aux dents gâtées, vint entourer ses épaules dans un geste de propriétaire.

Antoine continuait de serrer les mains qui se tendaient vers lui, embrassait ici et là. Théo était resté près de lui, comme s'il avait quelque chose à lui dire et qu'il attendait l'occasion. Par-dessus les épaules des uns et des autres, leurs regards se croisaient jusqu'à ce que Théo se penche vers lui.

— Je suis comme toi, ils me font tous chier...

— Non, ça n'est pas ça...

Théo éclata d'un petit rire.

— Arrête... Ils sont tellement cons...

Antoine était gêné par cette attitude. Lui aussi se sentait loin de cet univers, d'une autre espèce, plus moderne, et trouvait cette ville vieille, immobile et étroite, il la haïssait mais il ne la méprisait pas. Théo avait toujours été condescendant, il n'était pas surprenant de le voir considérer aujourd'hui Beauval avec dédain. Il s'apprêtait à créer une start-up dont Antoine ne comprit pas exactement la vocation, il y était question de systèmes experts, de fonctions réseau, le vocabulaire de Théo était émaillé d'expressions anglo-saxonnes auxquelles Antoine ne comprenait rien. Il se contenta de prendre un air pénétré comme ces gens qui maîtrisent mal une langue et qui, fatigués de chercher le sens, se contentent d'approuver. Émilie, qui était revenue près d'eux, n'écoutait pas, une discussion d'hommes, ça ne la concernait pas.

Puis ils furent séparés. Antoine buvait. Un peu trop, il le sentait. D'autant qu'il n'avait jamais tenu l'alcool.

Il l'avait promis à sa mère, il était venu ; il avait aussi prévenu qu'il ne resterait pas, il était temps de partir.

Impossible de saluer tout le monde, il fallait faire preuve d'astuce pour s'éclipser sans vexer personne. Il se resservit du vin pour se donner une contenance, se dirigea vers la haie avec nonchalance, personne ne le fixait, il posa son verre sur une table, sortit, referma la porte du jardin, ouf.

— Tu pars déjà ?

Antoine sursauta.

Émilie fumait une cigarette, assise sur le muret.

— Oui, enfin non…

Elle éclata d'un petit rire vif et clair qu'Antoine avait déjà remarqué tout à l'heure. C'était dans sa manière. À tout bout de champ surgissait ce rire qui, sans excès, l'aurait fait apparaître délicieuse, mais dont le systématisme agaçait. On aurait dit qu'il remplaçait des mots qu'elle ne connaissait pas.

— Tout te fait rire ? demanda-t-il.

Il regretta sa question mais Émilie ne semblait pas en avoir perçu la malice. Elle répondit par un geste vague qui pouvait vouloir dire n'importe quoi.

— Bon, je vais y aller, dit Antoine.

— Je rentre aussi…

Ils se mirent à marcher.

Émilie alluma une seconde cigarette dont l'odeur, mêlée à la fraîcheur de la nuit et au parfum discret qu'elle portait, était agréable. Antoine était presque tenté, c'était arrivé deux ou trois fois dans sa vie, il n'avait pas aimé mais il avait cédé. La tension de la fin de journée retombait, laissant derrière elle une intense fatigue. Une cigarette, pourquoi pas…

Émilie revenait à la conversation qu'ils avaient ébauchée plus tôt dans la soirée. Elle se déclara intriguée par le projet d'Antoine. L'humanitaire. Pourquoi ne voulait-il pas être un médecin… normal ? Ce qu'il aurait fallu d'énergie pour répondre à ça… Antoine coupa au plus court :

— Médecin de famille, c'est un peu ennuyeux…

Émilie hocha la tête. Elle butait sur quelque chose.

— Si tu trouves ça ennuyeux, pourquoi tu fais médecin ?

— Non, ce n'est pas être médecin qui m'ennuie, c'est devenir médecin de famille, tu vois…

Émilie approuva, mais quelque chose la dépassait dans cette théorie. Antoine la regardait discrètement. Mon Dieu, ces pommettes hautes, cette bouche, la racine des cheveux, là, dans la nuque, ce duvet blond… Elle portait un corsage dont les premiers boutons étaient ouverts, dévoilant le haut d'une poitrine qu'on devinait ferme, et lorsque Antoine se laissait très légèrement distancer, il apercevait sous sa robe un cul d'un galbe sidérant…

Elle parlait :

— Parce que, bon, quand même, médecin… Ça doit être drôlement intéressant de soigner des gens…

Il y avait quelque chose de douloureux à constater qu'une jeune femme si délicieuse, si sexy, puisse être aussi franchement sotte. Elle s'exprimait à l'aide de généralités, d'idées qui, comme elles lui arrivaient toutes faites et prêtes à l'emploi, n'avaient quasiment pas besoin de passer par sa tête. Sa conversation sautait, sans raison ni transition, d'un sujet à un autre qui tous concernaient le peu qu'elle connaissait : les habitants de Beauval. Pendant qu'Antoine la détaillait et mesurait, de très près, la perfection de certains détails (ses sourcils, ses oreilles, cette fille parvenait même à avoir des oreilles ravissantes, c'était inouï), Émilie était remontée à leur passé, leur enfance, leur voisinage, leurs souvenirs…

— J'ai plein de photos de nous à l'école ! Et au centre de loisirs… Avec Romane, Sébastien, Léa, Kevin… Et Pauline !

Elle parlait de gens dont Antoine avait du mal à se souvenir, mais qui, pour elle, semblaient parfaitement actuels. Comme si la ville et sa vie elle-même n'étaient rien d'autre que la cour de récréation quelques années plus tard.

— Ah, ces photos, il faudrait que tu les voies, c'est à crever…

Son petit rire résonnait dans la nuit, féminin, délicieux et insupportable. On ne voyait pas ce qui l'amusait à ce point.

Pour Antoine, ces photos de classe étaient loin de réveiller de bons souvenirs. L'image du petit Rémi Desmedt qui avait hanté son enfance avait été prise à cette occasion, c'était le rituel, ce jour-là on disciplinait votre mèche, on vous changeait de chemise, on partait à l'école comme pour un dimanche.

— Je t'en enverrai, si tu veux !

La proposition lui sembla si enthousiasmante qu'elle s'arrêta un instant. Il la dévisagea. Son beau visage triangulaire, ses yeux clairs, cette bouche veloutée…

— Bah oui, si tu veux…, répondit-il.

Une courte gêne s'installa. Antoine baissa les yeux, ils reprirent leur marche.

Du centre-ville, on percevait encore, au loin, les échos de la musique chez M. Lemercier. Près de la mairie, en peine de sujets de conversation, Antoine évoqua l'immense platane que la tempête avait abattu.

— Ah oui, dit Émilie, ce platane !

Elle laissa passer quelques secondes pendant lesquelles l'ombre du platane recouvrit la conversation puis elle ajouta :

— Ce platane, c'était un peu l'histoire de Beauval…

Antoine laissa filer, qu'est-ce que vous voulez dire… Ils restèrent silencieux de nouveau. La douceur d'août, la nuit, le vin, cette rencontre inattendue, cette fille ravissante, tout poussait à la confidence et à revenir sur des questions qu'il s'était posées.

— Quelles questions ? demanda-t-elle.

Sa voix exprimait une naïveté sans arrière-pensée.

— Eh bien, par exemple… Théo et toi… Ce qui s'est passé entre vous…

Cette fois, le petit rire clair d'Émilie ne lui fit rien.

— On avait treize ans !

Elle s'arrêta au milieu de la rue, se tourna vers lui, surprise.

— Bah… Tu ne vas pas être jaloux, si ?

— Si.

Ç'avait été plus fort que lui. Il regretta aussitôt ce réflexe qui était avant tout un mouvement d'humeur. Car au fond, c'est d'abord à lui qu'il en voulait, de s'être si longtemps laissé assujettir à son charme, sa séduction. Et il lui en voulait aujourd'hui de n'être que ce qu'elle était.

— J'étais très amoureux de toi…

C'était un constat simple et triste. Émilie trébucha, elle se retint à sa manche, mais la lâcha aussitôt, comme s'il s'agissait d'un geste que la situation rendait inconvenant. Antoine se sentit pris en faute.

— Ça n'est pas une déclaration, rassure-toi !

— Je sais bien.

Comme ils arrivaient devant sa maison, Antoine revit tout à coup le visage d'Émilie derrière la fenêtre, le jour de la grande tempête.

— Tu avais l'air très fatiguée… Tu étais aussi très jolie. Vraiment… très belle…

Cette confidence tardive la fit sourire.

Elle poussa la porte de la grille, s'avança jusqu'au fond du jardin et vint s'asseoir dans la balancelle qui grinça légèrement. Antoine la suivit. La banquette suspendue était beaucoup plus étroite qu'on pouvait le penser, ou peut-être penchait-elle un peu… Antoine sentit contre lui la hanche chaude et souple d'Émilie, il tenta de s'écarter, mais n'y parvint pas.

Émilie poussa légèrement du pied, ils se balancèrent. Une lumière pâle et jaune arrivait du réverbère de la rue. Tout était silencieux, ils ne parlaient pas.

Le mouvement de balançoire les rapprocha encore. Antoine fit alors quelque chose qu'il savait ne pas devoir faire, il prit la main d'Émilie, elle répondit en se serrant contre lui.

Ils s'embrassèrent. Ce fut tout de suite raté.

Il n'aima pas sa manière d'embrasser, le mouvement vorace de sa langue qui faisait penser à une exploration buccale, mais il poursuivit parce que finalement, ça n'avait pas d'importance puisqu'ils ne s'aimaient pas. Grâce à quoi, tout était plus simple.

C'était un flirt sans promesse, de l'amour familier, la conséquence d'années à se croiser sans se toucher. Ils pouvaient le faire aujourd'hui parce que rien ne les y obligeait. Ils étaient des amis d'enfance. Il y avait seulement entre eux une longue histoire à réduire. Pour en avoir le cœur net. Pour ne rien regretter. La petite fille qu'il avait tant désirée n'avait rien à voir avec la jeune femme ravissante et idiote qu'il avait dans les bras. Et dont, à cet instant, il avait terriblement envie.

C'était une situation fausse et ils le comprirent tous les deux mais en sachant aussi que maintenant, ce qui était commencé allait se poursuivre et se dérouler jusqu'à son issue normale et prévisible.

Antoine glissa sa main dans le corsage d'Émilie, trouva un sein d'une chaleur et d'une élasticité folles, elle répliqua en posant la sienne sur son entrejambe. Le baiser se poursuivit, maladroit et impétueux, la salive coulait sur leurs mentons, ils ne se détachaient pas l'un de l'autre pour ne pas avoir à se parler.

Antoine poussa un grognement sourd lorsqu'il rencontra la chaleur humide de la jeune femme.

Elle le saisit dans sa main exactement comme elle embrassait, avec une rudesse déterminée, maladroite.

Ils se tortillèrent pour enlever le bas.

Émilie se retourna d'elle-même, les mains sur la balancelle, les jambes largement écartées. Antoine la pénétra aussitôt. Elle se cambra davantage encore pour l'inviter à entrer plus profondément en elle puis elle tourna la tête vers lui pour l'embrasser à nouveau goulûment, la langue tout entière, toujours cette avidité…

Elle poussa un petit couinement animal quand elle le sentit se raidir et jouir en elle… Il ne saurait jamais si elle avait joui, elle aussi.

Ils restèrent ainsi un moment collés l'un à l'autre, sans bien savoir comment faire, craignant même de se regarder, puis ils se mirent à rire. Un reste d'enfance les traversa, l'impression d'avoir joué un bon tour aux adultes, à la vie.

Antoine remonta maladroitement son pantalon, Émilie remit sa culotte en se déhanchant et rabattit sa robe.

Ils étaient debout, ne sachant quoi se dire, avec la hâte de se séparer, d'en finir.

Émilie éclata de son petit rire, serra les genoux, la main sur son bas-ventre à la manière d'une enfant surprise par une envie pressante.

Elle roula des yeux et remua la main comme pour l'égoutter, de haut en bas, les doigts écartés, ouille ouille ouille…

Elle déposa un baiser rapide sur les lèvres d'Antoine et fila. Lorsqu'elle fut près d'ouvrir la porte, elle lui en envoya un autre du bout des doigts.

Même la séparation était un échec.

Si la fin de l'enfance n'était pas survenue, dans la vie d'Antoine, lorsqu'il avait fait connaissance avec la mort, quand il avait tué Rémi, c'est à coup sûr de cette nuit-là qu'il l'aurait datée.

Il consulta son téléphone en rentrant.

Laura avait appelé quatre fois sans laisser de message. Il composa son numéro, mais coupa aussitôt. Lui parler, c'est-à-dire lui mentir, aurait été au-dessus de ses forces. Cette fin de soirée avait été une débâcle, il ne parvenait pas à s'expliquer comment les choses avaient pu finir ainsi. Le désir, oui. Tu parles, pour ce qu'il en restait, maintenant, du désir… Il se serait battu.

Il renonça à appeler Laura, il prétexterait… Il verrait bien, il trouverait.

Sa mère lui avait conservé sa chambre, dont elle avait fait changer le papier peint, le mobilier. Son bureau d'écolier, sa chaise, son ancien lit et une grande partie de ce qu'elle contenait avaient été religieusement stockés au

230

sous-sol, mais quelques objets avaient curieusement échappé à la relégation, une mappe-
monde, un poster de Zidane, un sac à dos, un
pot à crayons, un Transformers GI Megatron,
un coussin avec le drapeau anglais, une sélec-
tion assez étrange dont Antoine n'avait jamais
percé la logique.

Il détestait ce décor qui le faisait replonger
dans une époque qu'il tenait à distance, mais
comme il y venait rarement et que sa mère
s'était donné du mal pour arranger cette pièce,
il n'avait pas eu le cœur ni l'énergie de tout
mettre en carton pour le déposer sur le trottoir
comme il en avait envie chaque fois.

Le téléphone vibra. Laura de nouveau, il
était près d'une heure du matin. Il se sentait
mal dans cette soirée, mal dans cette pièce, mal
dans ce lieu, dans sa vie, il n'eut pas le courage
de répondre.

Lorsque l'appareil cessa de tourner sur lui-
même, Antoine reprit sa respiration, entendit
du bruit dans la rue. Sa mère rentrait en compagnie des Mouchotte. Que se serait-il passé
si, avec Émilie, ils avaient été surpris en rut
contre la balancelle, comme des adolescents ?

Il était maintenant trop tard pour se coucher, faire semblant de dormir. Il prit position devant la table comme s'il était au travail.

C'était absurde et humiliant de se prêter à une pareille singerie, mais allez faire autrement.

Mme Courtin avait vu la lumière dans sa chambre, elle monta.

— Tu travailles trop tard, mon grand, il faut dormir !

Les mêmes mots exactement depuis des années, derrière lesquels perçait la fierté d'avoir un fils travailleur, un fils qui réussissait. Elle s'avança, ouvrit les fenêtres pour tirer les volets et s'arrêta, saisie par une pensée.

— Tiens, dis donc, sais-tu qu'ils vont aménager Saint-Eustache ?

Antoine sentit son échine frémir.

— Comment ça, aménager... quoi, aménager... ?

Mme Courtin était retournée à sa fenêtre.

— Eh bien, on a retrouvé les héritiers. La mairie a acheté l'emplacement pour y créer un petit parc d'attractions pour les enfants. Il devrait en venir de toute la région, selon eux, moi je veux bien...

Devant toute nouveauté, toute initiative, Mme Courtin commençait toujours par exprimer le plus grand doute.

— Ils disent qu'ils ont fait des études, que ça va plaire aux familles et que ça va créer des emplois. On verra. Allez, il faut dormir maintenant, Antoine.

— Qui t'a dit ça ? Pour le parc…

— C'est affiché en mairie depuis deux mois, mais qu'est-ce que tu veux, tu n'es jamais là… Alors forcément, tu ne sais pas les choses…

Le lendemain matin, Antoine partit faire son jogging de très bonne heure, il n'avait pas fermé l'œil.

À l'hôtel de ville, dans la vitrine des affichages officiels, il put lire l'annonce de la construction du parc Saint-Eustache, dont les plans pouvaient être consultés en mairie.

Les travaux de déblaiement commenceraient en septembre.

16

Les vacances furent un interminable calvaire. D'une anxiété folle. Il avait réussi ses examens, mais il sortit des épreuves totalement vidé. Il ne voulait plus remettre les pieds à Beauval, c'était irrationnel, il serait bien tôt ou tard tenu d'aller voir sa mère mais il prétexta un long voyage d'été avec Laura qui en fait ne dura pas deux semaines par manque d'argent. L'actualisation de la photo de Rémi Desmedt avait été un choc, mais l'annonce des travaux à Saint-Eustache, elle, présageait une catastrophe dont il était difficile de savoir quand et comment elle surviendrait. Son imaginaire le replongeait dans la pire période de sa vie qui, à elle seule, avait condensé toute son enfance. On allait retrouver le corps. L'enquête serait rouverte. On procéderait de nouveau aux interrogatoires. Il figurait parmi les dernières personnes à avoir vu l'enfant vivant, il serait convoqué. La piste d'un enlèvement par un kidnappeur de passage serait abandonnée, on se concentrerait sur la ville, sur ses habitants, sur les proches, sur les voisins et, inévitablement, la piste conduirait à lui, ce serait la fin. Douze ans plus tard, épuisé par sa propre histoire, il serait incapable de mentir.

Durant cet été-là, Antoine pensa à s'enfuir. Il chercha une destination d'où on ne pourrait l'extrader. Mais il savait au fond de lui qu'il ne le ferait pas, il n'avait ni la carrure ni le tempérament d'un homme capable de vivre une cavale à l'étranger (rien que le mot était incompatible avec ce qu'il était !). Sa vie lui apparut petite, étriquée, il n'était pas un gangster ambitieux, cynique et organisé, juste un assassin ordinaire qui jusqu'ici avait eu de la chance.

Il se résolut à rester, à attendre, et il sombra dans une résignation morose et tourmentée.

Maintenant qu'il était adulte, la prison ne l'effrayait plus, sa terreur, c'était la tourmente : le procès, les journaux, les télévisions, la presse envahissant Beauval, traquant sa mère, les gros titres, les interviews des experts, les commentaires des chroniqueurs judiciaires, les photographes, les déclarations des voisins… Il imaginait Émilie bêtifiant face à un objectif de caméra, elle ne se vanterait pas de

ce qu'ils avaient fait ensemble. Le maire tenterait de disculper sa ville, mais en vain : Beauval avait abrité à la fois la victime et l'assassin
à quelques dizaines de mètres de distance, on
ferait pleurer Mme Desmedt pour la filmer,
elle serait accompagnée de Valentine, trois
mioches sur les bras, et on reposerait gravement la question, la sempiternelle question :
comment peut-on devenir un assassin à douze
ans ? Tout le monde adorerait ce fait divers
parce que, face à lui, chacun se sentirait mer-
veilleusement normal. La télévision se livrerait
à un historique des cas célèbres, remontant
aussi loin que le permettraient les archives
de la police. Le crime de Beauval exorciserait
les velléités de violence de tout un peuple, on
pourrait se délecter de placer la faute sous la
responsabilité d'un seul, de la satisfaction
de voir quelqu'un puni pour une action dont
n'importe qui serait capable.

Il grimperait en quelques minutes au firma-
ment des assassins d'anthologie. Il cesserait
d'exister.

Il ne serait plus une personne, Antoine
Courtin deviendrait une marque.

Son cerveau entrait en ébullition, remuait
des images alarmantes puis Antoine redescendait d'un coup, se rendant compte que depuis

une demi-heure il n'avait pas parlé, pas écouté, pas répondu aux questions de Laura.

Ils occupaient un petit logement dans un quartier éloigné de l'université, mais assez proche du CHU.

Autant ils avaient usé et abusé des relations sexuelles pendant les trois années précédentes, autant, depuis le retour d'Antoine en juin dernier, les occasions s'étaient espacées. Laura revenait régulièrement à la charge, Antoine se prêtait alors à quelques jeux au cours desquels sa virilité n'était pas requise. Laura attendait des jours meilleurs avec une pointe d'anxiété et une bonne dose de frustration. Elle n'avait jamais connu Antoine très heureux, c'était un homme secret, silencieux, grave et inquiet, c'est justement ce qu'elle avait aimé chez lui, il était très beau mais la gaieté l'affadissait. Sa gravité procurait à son entourage un sentiment de solidité soudainement démenti par de brusques crises d'angoisse. Et en cette période, son malaise prenait des dimensions inquiétantes. Laura imagina des choses à sa portée, supposa des difficultés familiales. S'interrogeait-il sur sa vocation de médecin ? Et elle déboucha forcément sur cette hypothèse d'autant plus probable qu'elle semblait impossible : Antoine avait une maîtresse.

Pour Laura, être jalouse exigeait un effort, elle n'y arriva pas. En désespoir de cause, elle se rabattit sur l'explication psychologique, somme toute la plus rassurante pour un médecin : à défaut de résoudre le problème, une molécule bien choisie aurait un effet bénéfique.

Laura s'apprêtait à lui en parler lorsqu'elle découvrit, incidemment, qu'Antoine prenait déjà journellement une dose conséquente d'anxiolytique.

Juillet et août passèrent.

Mme Courtin évidemment s'inquiéta qu'Antoine ne soit plus venu la voir depuis la mi-juin. Elle tenait une comptabilité rigoureuse de ses visites et pouvait, de mémoire, en citer les dates précises au cours des cinq années précédentes. Curieusement, elle ne lui en faisait jamais ouvertement le reproche et se contentait de noter qu'il venait peu, comme si son éloignement était entre eux le résultat d'un accord tacite regrettable, mais nécessaire.

Lorsque, plusieurs fois par semaine, son esprit butait sur les travaux du parc d'attractions qui commenceraient prochainement à Saint-Eustache, Antoine était renvoyé à cette dernière journée qu'il avait passée à Beauval, heures terribles et vaines, à la photo de Rémi adolescent, à cette soirée à laquelle il ne serait jamais allé sans l'insistance de sa mère, à ces moments imbéciles avec Émilie.

La manière dont les choses s'étaient passées avec elle restait un mystère. Il avait eu envie de la posséder parce qu'elle était attirante et au nom d'une obsession infantile, il y avait là-dedans un peu de désir et beaucoup de revanche. Mais elle, qu'avait-elle désiré ? Lui ou autre chose ? S'était-elle simplement laissé faire ? Non, elle s'était même montrée active, il se souvenait de sa langue omniprésente, de sa main, de sa manière de se retourner, de se cambrer, et de le fixer dans les yeux à l'instant où il la pénétrait.

À distance, il était toujours aussi partagé concernant cette femme. Il revoyait, indissolublement liées, sa beauté qui, dans son échelle de valeurs, était au plus haut, et la platitude décourageante de sa conversation. Il se souvenait de son enthousiasme puéril lorsqu'elle évoquait ses anciennes photos de classe.

La moindre idée devait lui faire pas mal d'usage parce que Mme Courtin, vers la mi-septembre, lui annonça au téléphone qu'Émilie était venue demander son adresse.

— Pour t'envoyer quelque chose, elle n'a pas dit quoi.

Cette histoire de photos, d'ailleurs, revint le visiter plusieurs fois.

Il s'imagina ouvrant l'enveloppe, découvrant les images, et dans ses rêves, se superposèrent à son propre visage celui de Rémi à six ans, puis à dix-sept, et le résultat de cette fusion, c'était comme des portraits d'enfants morts trop jeunes figés sur des plaques mortuaires.

Il repensa au buffet des Desmedt, à la place du cadre manquant qui semblait attendre et patienter jusqu'à ce que justice se fasse.

Il se promit que lorsque ces photos arriveraient, il les jetterait sans même ouvrir l'enveloppe. Il n'aurait pas à se justifier, il n'avait quasiment pas croisé Émilie à Beauval au cours des années précédentes et comme, par bonheur, il y allait de moins en moins souvent…

On était début novembre.

C'est à ce moment-là qu'Émilie se manifesta, mais pas sous la forme d'une enveloppe de photos, ce qui arriva, ce fut la vraie Émilie en chair et en os, habillée d'une robe imprimée franchement ridicule, mais qui ne parvenait pas à masquer sa beauté. Maquillée, parfumée, coiffée, resplendissante, préparée comme pour un mariage, elle sonna à la porte. Laura ouvrit, bonjour, je suis Émilie, je voudrais voir Antoine.

Pour Laura, ce fut une révélation.

Il n'était pas nécessaire que la visiteuse prononce un mot de plus, Laura s'était retournée,

240

Antoine, c'est pour toi ! Elle avait attrapé sa veste, enfilé ses chaussures. Elle était déjà dehors lorsque Antoine, saisi par cette présence inattendue, voulut réagir, attends, c'était trop tard, Laura était sortie, on entendait son pas nerveux dans l'escalier, Antoine se pencha, cria son nom, vit sa main descendre rapidement le long de la rampe jusqu'au rez-de-chaussée. Il se demanda où elle allait et fut pris d'un brusque accès de jalousie, il se retourna, se souvint de ce qui en était la cause.

Il rentra dans l'appartement très en colère.

Émilie ne semblait pas gênée le moins du monde.

— Je peux m'asseoir ? demanda-t-elle.

Pour justifier sa question, elle ajouta :

— Je suis enceinte.

Antoine blêmit. Émilie évoqua longuement « leur soirée », ce fut une scène très pénible. Elle raconta des retrouvailles émouvantes, un désir entre eux très soudain, quasiment viscéral et, pour sa part, un « plaisir comme elle n'en avait jamais connu »... Elle ne pouvait pas parler pour Antoine, mais moi, sans parler de moi, je n'ai pas dormi une minute depuis ce jour-là, je suis retombée amoureuse de toi dès que je t'ai revu, je suis certaine que j'ai toujours été folle de toi, même si je ne voulais pas me l'avouer, etc. Antoine n'en croyait pas ses oreilles. La situation était tellement stupide qu'il n'aurait pas résisté à l'envie d'en rire s'il n'avait mesuré les conséquences et les sous-entendus de cette démarche…

— C'était juste…

Il s'arrêta, chercha ses mots. En lui le médecin hurlait quelque chose que l'homme ne voulait pas dire. Il dut se faire violence pour demander :

— Mais qui dit que… que c'est avec moi, enfin, tu comprends ce que je veux dire…

Émilie avait préparé son petit couplet. Elle posa son sac à ses pieds, croisa les jambes.

— Je ne peux pas être enceinte de mon… enfin, de Jérôme, il est absent depuis quatre mois.

— Mais tu pourrais être enceinte de quelqu'un d'autre !

— Eh ben c'est ça, traite-moi de putain, pendant que tu y es !

Émilie était scandalisée par cette remarque, elle n'avait visiblement jamais imaginé que cette question puisse se poser. Antoine dut s'excuser :

— Ce n'est pas ce que je…

Il s'arrêta pour compter et fut saisi par le résultat de son calcul : treize semaines s'étaient écoulées depuis ce qu'Émilie continuait d'appeler « notre soirée ».

En clair, l'avortement légal était maintenant impossible.

Tout devenait limpide : elle avait attendu la fin du délai légal pour venir le trouver !

— Oui, Antoine, absolument ! Je ne veux pas avorter, ça ne se fait pas. D'abord mes parents…

— On s'en fout de tes parents !

— Eh bien moi, je ne m'en fous pas et c'est moi qui suis enceinte !

Antoine se demanda à combien elle marchanderait l'issue de cette histoire. Pourrait-il payer ?

— Et c'est toi le père, ajouta-t-elle en baissant les yeux comme elle avait vu faire à la télévision.

— Mais, Émilie, qu'est-ce que tu veux ?

— J'ai annoncé la rupture à mon… enfin, à Jérôme. Je ne lui ai pas dit toute la vérité, je ne veux pas qu'il se fasse une mauvaise opinion de nous, mais bon.

— Qu'est-ce que tu veux ?

Elle fronça ses ravissants sourcils blonds, surprise qu'Antoine pose une question aussi bête.

— Je veux que cet enfant vive ! C'est quand même normal, non ? Qu'il ait toutes les chances auxquelles il a droit !

Il ferma les yeux.

— Il faut qu'on se marie, Antoine, mes parents...

Antoine bondit de sa chaise, électrisé, hurlant :

— C'est impossible !

Il lui avait fait peur, elle recula sur sa chaise. Il fallait absolument la convaincre de l'absurdité de cette idée. Il tenta de se calmer, approcha sa chaise, s'installa face à elle, lui prit les mains.

— C'est impossible, Émilie, je ne t'aime pas, je ne peux pas t'épouser !

Il fallait trouver des arguments qu'elle puisse comprendre :

— Je ne saurai pas te rendre heureuse, tu comprends ?

Cet argument laissa Émilie dubitative, elle ne voyait pas très bien ce qu'il voulait dire par là. En fait, elle vivait depuis plus de deux mois avec cette idée qu'Antoine « régulariserait la situation », elle n'avait rien envisagé d'autre.

— On peut encore interrompre cette grossesse, insista Antoine, je vais payer, rassure-toi. Je vais trouver l'argent, je vais trouver une clinique très bien, tu ne crains rien, je t'assure, je vais m'occuper de tout, mais tu dois faire passer cet enfant parce que je ne t'épouserai pas.

— Tu me demandes de commettre un crime !

244

Émilie avait posé un poing nerveux entre ses seins.

Il y eut un long silence.

Antoine avait commencé à la haïr.

— Tu l'as fait exprès ? demanda-t-il froidement.

— Pourquoi j'aurais fait ça ? Je veux dire, comment j'aurais…

Émilie cherchait à exprimer une idée simple, elle ne savait pas par quel bout l'attraper mais elle avait l'air sincère.

Antoine était anéanti par cette évidence : c'était un accident. Émilie elle-même aurait préféré épouser son sergent-chef, seulement voilà, entre-temps, ils avaient eu « leur soirée » et aussi ratée qu'elle eût été, ce qui s'y était passé était là, Émilie allait avoir un enfant et c'est Antoine qui le lui avait fait.

Il entra en résistance. Il se leva.

— Je suis désolé, Émilie, mais c'est non. Je ne veux pas de cet enfant. Je ne veux pas de toi, je ne veux rien de tout ça. Je trouverai de l'argent, mais je ne veux pas d'enfant, jamais, c'est au-dessus de mes forces, je ne pense pas que tu puisses comprendre.

La jeune femme était maintenant au bord des larmes. Il eut la vision d'Émilie rentrant chez elle avec cette nouvelle. Il imaginait mal qu'elle soit venue sans avoir longuement préparé cette entrevue avec ses parents, avec sa sacro-sainte mère. Il voyait d'ici la tribu Mouchotte au grand complet, le père, raide comme un cierge de Pâques, la mère drapée dans son châle en laine mohair… Comment avaient-ils pu penser qu'Antoine allait céder, épouser leur fille, c'était incroyable.

La situation ne tournait pas dans le sens qu'Émilie avait prévu. Elle se leva à son tour, s'approcha d'Antoine.

Elle passa les mains autour de son cou et, avant qu'il ait eu le temps de réagir, elle avait collé ses lèvres sur les siennes et enfoncé sa langue tout au fond, attendant qu'Antoine en fasse quelque chose (elle-même devait se demander à quoi pouvait servir ce rituel auquel tous les hommes voulaient sacrifier, mais, à défaut de ressentir quoi que ce soit, elle s'y livrait avec foi, et même avec ferveur, mais sans idée, sans projet ni talent).

Antoine tourna la tête, desserra les bras d'Émilie, recula lentement.

La jeune femme se sentit rejetée, elle fondit en larmes. Cette fille en train de pleurer était d'une beauté effarante, Antoine en fut même troublé. Mais mentalement il s'était déjà attaché au poteau pour éviter de céder aux sirènes, il lui suffisait d'imaginer une seconde la vie qu'elle lui proposait pour rassembler une force contre laquelle personne ne pourrait rien. Il posa simplement sa main sur son épaule.

Quelques minutes plus tôt, il la haïssait, maintenant il la plaignait.

Une pensée fugitive le saisit, qui d'autre que les Mouchotte était informé ? Il ne songeait pas à lui, parce qu'à Beauval il n'y retournerait jamais plus, il pensait à sa mère. Tout cela était très triste.

— Tu nous abandonnes… ? demanda Émilie.

Elle avait vraiment le chic pour prononcer des phrases grotesques, où allait-elle les chercher… ? Elle se moucha bruyamment.

— Je ne peux rien faire pour toi, Émilie, je suis désolé. Je m'occuperai de tout : trouver une bonne clinique, payer ce qu'il faudra, personne n'en saura rien, je t'assure. Tu es jeune, je suis certain qu'avec ton Jérôme, vous ferez beaucoup de bébés, avec lui c'est possible, mais pas avec moi. Il va falloir te décider très vite, Émilie… Sinon, je ne pourrai plus rien faire pour toi.

Émilie approuvait de la tête. Elle était venue avec une idée, ça n'avait pas marché. Elle avait dit les phrases qu'elle avait préparées, elle ne voyait plus ce qu'elle pouvait faire d'autre, elle se leva à regret.

Antoine imagina un instant qu'elle ressentait un certain plaisir à vivre une situation qui lui donnait un rôle à jouer : elle était malheureuse, il se passait quelque chose de dramatique dans sa vie, elle était une héroïne, comme à la télévision.

Elle abandonna sur la table une grande enveloppe. Les photos de classe. Mon Dieu, elle était venue avec ça…

Que s'était-elle imaginé, qu'ils allaient s'asseoir sur le lit, les feuilleter en riant, pressés l'un contre l'autre ? Qu'Antoine, charmé, séduit, amoureux, allait poser sa main sur son ventre et demander s'il bougeait ? Tant de naïveté le terrassait.

Après son départ, il resta un long moment à réfléchir aux conséquences. Une lueur d'espoir le saisit : miraculeusement, il était jusqu'alors sorti indemne de toutes les situations, de tous les pièges que l'existence avait posés sur son chemin. Quand il pensait qu'on allait retrouver Rémi, personne ne le trouvait ; lorsqu'il avait été certain d'être arrêté, il était passé à travers les mailles du filet ; Émilie, malgré sa grossesse, était repartie bredouille… Il se prit à croire que cette chance allait peut-être se prolonger. Il parlait de chance pour la première fois depuis si longtemps. Un poids venait de se détacher de lui.

Il attendit Laura avec un calme inattendu.

Elle rentra. Quel contraste avec la femme qui était là tout à l'heure.

— Tu aurais pu aérer, ça sent la pouffiasse, ici !

Disant cela, elle avait saisi son sac à dos, dans lequel elle fourrait pêle-mêle tout ce qui lui tombait sous la main.

Antoine sourit, il ne s'était jamais connu aussi fort, aussi sûr de lui. Il l'attrapa par les épaules, la força à se retourner et, sans cesser de sourire, il dit :

— Bon, j'ai couché UNE fois avec une copine de classe qui n'est rien pour moi. Elle vient ici me relancer, je l'ai foutue dehors, je t'aime.

Antoine était convaincant parce que tout ce qu'il disait était parfaitement juste, il n'y avait aucun mensonge dans tout cela, hormis par omission, ce qui, dans l'instant, ne comptait pour rien.

Il était tout à coup invincible, il dégageait une force telle que Laura elle-même en fut frappée. Elle tenait un vêtement entre les mains, Antoine continuait de sourire, il la força à s'écarter.

D'un geste ferme et précis, il lui ôta son pull, sa bouffée de désir emporta tout, ils roulèrent sur le lit et du lit sur le sol et ils roulèrent encore l'un sur l'autre jusqu'à la table contre laquelle ils butèrent, Antoine était déjà entré en elle, elle ne sut jamais comment il s'y était pris, elle commençait à trembler des pieds à la tête, la vibration qui lui montait depuis la plante des pieds la souleva du sol et lui creusa les reins, elle hurla. Deux fois.

Et s'évanouit sous lui.

17

Émilie écrivit des lettres. Deux, trois par semaine. Laura les posait sur la table avec un soupir appuyé de lassitude. Antoine les lut, du moins au début. C'étaient des lettres mal fagotées et qui partaient dans tous les sens, même si le message général revenait toujours à ceci : « Ne m'abandonne pas avec notre enfant ! » Émilie avait une écriture infantile (elle mettait des petits cercles au-dessus des i) et alignait toutes sortes de clichés censés démontrer le désespoir dans lequel Antoine l'avait plongée. Les « n'abandonne pas la chair de ta chair » succédaient au « brasier que tu as allumé en moi », à la « vague de désir » qui l'avait « submergée », à cette soirée dont elle était sortie « exténuée de plaisir », un niveau d'indigence presque douloureux, on voyait tout à fait le genre de femme qu'elle était.

Ces lettres étaient idiotes, mais son désarroi, lui, était bien réel. Interdite d'avortement par la religiosité de ses parents (et peut-être même la sienne), elle allait devenir ce qu'ils devaient appeler une fille-mère, élever seule un enfant... Il pensa à sa vie à venir. Ses pensées, parfois, n'étaient pas bien reluisantes : même avec un enfant, se disait-il, belle comme elle était, elle trouverait un mari sans difficulté. Quant à ses parents, ils adoreraient porter cette croix, ils le feraient avec une ostensible dignité de sacrifiés, finalement, tout le monde serait heureux.

Début octobre, temps pluvieux partout en France, Antoine courut pour prendre le tramway, glissa sur la chaussée et se rattrapa de justesse avant de tomber.

Quelques jours plus tard, sa mère eut moins de chance. En traversant la rue principale, elle fut fauchée par une voiture, on entendit un bruit sourd, on vit Mme Courtin, soulevée du sol, retomber lourdement sur le trottoir. On l'hospitalisa. On prévint son fils.

Antoine et Laura étaient au lit (depuis un mois ils n'arrêtaient pas, la peur de se quitter vous fait de ces effets parfois...).

Antoine décrocha le téléphone, s'immobilisa, Laura resta en suspension. L'infirmière de l'hôpital n'entra pas dans les détails, mais le mieux serait quand même de venir sans tarder…

Retourné par cette annonce, Antoine se précipita dans le premier train pour Saint-Hilaire, où il arriva tard. Même si les visites sont interdites, avait dit l'infirmière, on vous laissera entrer. Il prit un taxi. On le reçut avec de telles précautions qu'il utilisa un raccourci pratique, je suis médecin.

Son confrère ne fut pas dupe : il avait devant lui le parent d'un patient et rien d'autre.

— Votre mère souffre d'un traumatisme crânien. Pas d'anomalie à l'examen clinique, le scanner est rassurant mais le coma est profond… Difficile d'en dire plus pour le moment.

Il ne proposa pas de montrer les radios et s'en tint à l'information minimum. Il fit exactement ce qu'Antoine aurait fait à sa place.

Mme Courtin dormait, il s'approcha, s'assit, lui prit la main et se mit à pleurer.

Pendant ce temps, Laura s'était chargée de lui réserver une chambre.

L'Hôtel du Centre.

Il y arriva dans la nuit. Le hall exhalait une odeur d'encaustique, il n'avait pas senti ça depuis son enfance, à croire que c'était l'odeur de la région. Papier peint à fleurs, rideaux en cretonne, couvre-lit à passepoil… Laura avait fait le bon choix : la chambre ressemblait à sa mère.

Il se coucha tout habillé, s'endormit. Il crut se réveiller, impossible de savoir quelle heure il était, sa mère était là, dans la chambre, assise sur le bord de son lit.

« Antoine, il y a quelque chose… ? demandait-elle. Tu dors tout habillé, là, avec tes chaussures… Ça ne te ressemble pas… Si tu es malade, pourquoi ne le dis-tu pas ? »

Il s'ébroua, prit une douche, la tuyauterie fit trembler et dut réveiller tout l'hôtel.

Il appela Laura, la sortit d'un sommeil profond, mais je t'aime, dit-elle, encore endormie, je t'aime, je suis là, et Antoine regarda la chambre, il n'avait qu'une envie, se lover contre elle, respirer l'odeur de son amour, sentir sa chaleur, se fondre en elle, disparaître, et elle dit, je t'aime d'une voix grave, présente et lointaine, et Antoine se mit à pleurer puis se rendormit, mais aux premières heures du jour il était dehors et marchait dans les rues en direction de l'hôpital.

Il se demanda s'il devait prévenir son père. Ça n'avait aucun sens, ses parents étaient divorcés depuis des lustres. Son père se sentirait obligé de venir pour se montrer proche de son fils, ce qui serait un mensonge, ou il refuserait parce que cette femme n'était plus rien pour lui depuis plus de vingt ans. Autour d'Antoine, il n'y avait plus que Laura. C'est fou comme sa vie se réduisait à peu de gens.

Mme Courtin n'avait pas bougé d'un milli-mètre depuis la veille.

Antoine consulta les diagrammes, les courbes, vérifia machinalement les réglages. Après quoi, ayant épuisé tous les subterfuges, il s'assit de nouveau au chevet de sa mère.

Une préoccupation en avait remplacé une autre. C'est maintenant, dans le silence de la chambre et à cause de cette inactivité à laquelle il était contraint, qu'il s'en rendait compte : il ne se trouvait qu'à quelques kilomètres de Beauval.

Il était impossible de savoir de quelle manière se terminerait l'histoire. Mme Courtin allait-elle mourir ? Le corps de Rémi serait-il enfin décou-vert ? Et s'il l'était, serait-ce avant ou après la disparition de Mme Courtin ?

Ce qui épuisait Antoine, ce n'était plus la culpabilité, ni la peur d'être confondu, c'était l'attente. L'incertitude. La sensation que tant qu'il ne serait pas parti loin d'ici, tout pou-vait survenir, que sa vie pouvait être ruinée en quelques secondes. Ce n'était plus mainte-nant qu'une affaire de mois. Comme dans les courses de fond, les derniers kilomètres lui semblaient les plus difficiles.

En début d'après-midi, le docteur Dieula-foy fit une entrée comme on l'imagine, discrète et effacée. Il donnait toujours l'impression qu'il se trompait de pièce, qu'il allait ressortir quand il se rendrait compte de sa méprise. C'est sûrement ce qu'il s'apprêtait à faire lorsqu'il découvrit Antoine dans la chambre. Il masqua son embarras mais avec cette seconde d'hésitation qui trahit souvent les gens surpris par une situation inattendue.

Antoine ne l'avait pas vu depuis des années. Il avait beaucoup vieilli, mais son visage, maintenant parcheminé, restait comme il avait toujours été, impassible, impénétrable. Poursuivait-il sa vie esseulée et mystérieuse, faisait-il encore le ménage de son cabinet le dimanche dans son jogging informe ?

Les deux hommes se serrèrent la main, restèrent assis l'un à côté de l'autre à observer Mme Courtin, puis ils comprirent que leur silence ressemblait à un recueillement post mortem.

— Vous êtes en quelle année ? demanda alors le docteur.

— La dernière…

— Ah, déjà…

Antoine fut projeté par la voix du docteur Dieulafoy à ces minutes étranges d'il y avait longtemps. « Si je t'avais hospitalisé, les choses se seraient passées autrement, tu comprends… »

C'était vrai. Si ce jour-là Antoine avait été hospitalisé pour une tentative de suicide, une enquête aurait été ouverte, on l'aurait interrogé, il aurait avoué le meurtre de Rémi, c'en aurait été fini pour lui, c'est de cela que le docteur l'avait protégé.

Que savait-il exactement ? Rien de précis. Mais quelques heures après la disparition de l'enfant des voisins, alors que toute la ville tournait autour de cet événement tragique, l'envie de mourir de ce garçon de douze ans devait prendre un sens terrible, représenter un vrai cas de conscience.

« S'il arrive quelque chose, tu peux me demander, m'appeler… », avait-il dit.

Ce jour n'était jamais venu. Curieusement, le docteur réapparaissait à un moment où Antoine n'avait jamais été si près du gouffre.

C'est maintenant qu'il allait arriver « quelque chose », dont le docteur Dieulafoy n'avait aucune idée, parce que le corps de Rémi serait bientôt découvert.

Antoine regarda le visage blanc de sa mère.

Elle aussi avait saisi « quelque chose », mais elle n'avait pas voulu aller plus loin. Son intuition lui avait fait comprendre que, sans doute, son fils était mêlé à ce drame, elle avait tenté

257

de le protéger contre un mal inconnu mais pressant et cet échafaudage de mensonges, d'ignorance et de silences avait tenu près de douze ans.

Antoine se trouvait à présent dans cette chambre d'hôpital avec les deux seuls témoins de son drame, deux adultes qui, à l'époque et chacun à sa manière, avaient préféré se taire.

La boucle était en train de se boucler.

En ce moment même, les camions transporteurs de grumes devaient monter la colline et se diriger vers le bois Saint-Eustache, les bulldozers devaient soulever et retourner les arbres. Les restes de Rémi Desmedt ne seraient pas définitivement éparpillés, enterrés sous les chenilles des machines forestières, ils se dresseraient soudain, comme la statue du Commandeur, pour demander qu'enfin justice soit faite et qu'Antoine Courtin soit confondu, arrêté, jugé et condamné.

Mme Courtin avait commencé à prononcer des syllabes inaudibles.

Les deux hommes, de chaque côté du lit, la regardaient, écoutaient ces borborygmes auxquels il leur était impossible de ne pas chercher un sens, tâche évidemment vaine.

— Qu'allez-vous faire ensuite ? demanda le docteur.

De quoi parlait-il ? Antoine chercha puis raccrocha cette question à la conversation interrompue.

— Oh… l'humanitaire. J'ai réussi les entretiens… Normalement…

Le docteur Dieulafoy resta un long moment pensif.

— Oui, vous voulez partir…

Il leva soudain la tête, fixa Antoine comme sous le coup d'une soudaine révélation.

— C'est très petit ici, n'est-ce pas !

Antoine voulut protester.

— Si, si, dit le docteur, c'est très petit. Je comprends, vous savez… Je veux dire…

Il sombra alors dans une réflexion profonde à l'issue de laquelle il se leva et s'en alla comme il était venu, à sa manière de chat, feutrée et impersonnelle, se contentant d'un signe de tête et d'une déclaration surprenante et énigmatique :

— Je vous aime bien, Antoine.

Le fantasme d'Antoine de ne plus jamais remettre les pieds à Beauval ne survécut pas à cette journée : en fin d'après-midi, l'administration de l'hôpital réclama des papiers de Mme Courtin, des affaires, il fallait qu'Antoine aille les chercher, il n'y avait personne d'autre.

La perspective de retourner à Beauval l'étreignait. La maison de sa mère était voisine de celle des Mouchotte et il imaginait sans peine la scène pénible à laquelle il aurait droit si Émilie s'apercevait de sa présence.

Il gagna du temps, se donna toutes sortes de prétextes, il attendrait la toilette de sa mère, il partirait après la venue du médecin, etc.

Il alluma machinalement la télévision sur le journal de la soirée.

L'événement majeur de la matinée tournait en boucle sur toutes les chaînes nationales d'information continue : on venait d'exhumer, dans le parc Saint-Eustache, les ossements d'un jeune enfant.

La gendarmerie, prudente, n'avait fait que confirmer la découverte et s'interdisait toute interprétation sur l'identité de la victime, mais les journalistes, comme tous les habitants de la région, n'avaient évidemment qu'une idée en tête : il ne pouvait s'agir que du corps de Rémi Desmedt, qui cela pouvait-il être sinon lui ?

Antoine s'attendait à cette nouvelle. Il avait même eu plus de dix ans pour l'anticiper, mais au fond, comme pour la mort d'un proche, il n'y était pas réellement préparé.

Les reportages se succédaient, reléguant à l'arrière-plan les problèmes du moment. On avait filmé le chantier interrompu, les camions à l'arrêt, les bulldozers silencieux, les techniciens de l'Identité judiciaire en combinaison blanche affairés autour des véhicules dont les gyrophares balayaient les barrières sécurisant la zone où s'activaient gravement des hommes en costume et en uniforme, mais tout cela n'était que le décor, ce qui passionnait vraiment les médias, c'était Rémi Desmedt. La photo qui avait servi autrefois pour l'avis de recherche fut sans doute, pendant ces premières heures après la découverte, la plus diffusée en France et la plus regardée. Les reporters s'étaient précipités vers Mme Desmedt et faisaient le siège de son immeuble. S'ils n'avaient pas encore réussi à l'interviewer, ils n'avaient eu aucune peine à recueillir les propos des voisins, commerçants, élus, passants, facteur, enseignants, parents d'élèves, tout le monde était ému aux larmes, la ville s'apprêtait avec délectation, à communier dans la douleur.

Tout ce qu'Antoine avait tenté rationnellement d'imaginer était balayé par les ravages prévisibles de cette médiatisation. Allons, se disait-il, réfléchis, que va-t-il se passer...

C'est le moment que Laura choisit pour l'appeler. Antoine ne trouva pas le courage de répondre.

Tandis que derrière lui Mme Courtin délirait d'une voix de plus en plus forte, il suivit, tout au long de la journée, l'évolution des événements, l'évocation de l'analyse des restes mis au jour, l'identité probable de la victime (on montrait la photo de Rémi souriant, la mèche bien lissée, revêtu de son T-shirt portant le petit éléphant bleu), l'attente concernant l'élucidation des causes de sa mort et des sévices que l'enfant avait pu subir ante ou post mortem. On évoqua la réouverture de l'enquête dont les gendarmes, la justice et le ministère assurèrent pourtant qu'elle n'avait jamais été fermée. On attendait avec espoir et recueillement la découverte d'un indice permettant de lancer de nouvelles investigations et enfin d'arrêter le coupable.

Une nausée saisit Antoine lorsqu'une jeune femme arborant une dignité de circonstance devant le micro de sa chaîne d'information continue fut filmée sur la place de l'hôtel de ville, entourée d'une population calme et recueillie qui tentait quand même de s'apercevoir sur les écrans de retour d'image.

« Selon les enquêteurs, l'hypothèse de l'enlèvement demeure plausible, mais il semble plus vraisemblable que l'enfant n'ait pas été emmené très loin, qu'il soit resté en captivité dans les frontières de la commune. Auquel cas, l'enquête se concentrera sur la ville elle-même… Sur Beauval, où nous nous trouvons. »

L'affaire retournait à son point de départ, ce serpent rampait maintenant en direction de la maison de Mme Courtin. Antoine pouvait encore être interrogé, on demanderait à l'enfant qu'il avait été si quelque chose lui revenait. Chaque mensonge à faire serait une enclume à soulever, il ne s'en sentait plus la force.

Qu'un gendarme sonne à la porte et Antoine lui tendrait les poignets sans un mot.

Il oublia qu'il devait aller à Beauval chercher des papiers. Bien que Mme Courtin soit entrée dans un délire de plus en plus actif, épuisé de fatigue, Antoine parvint à s'assoupir, assis sur sa chaise, et il était plus de 5 heures du matin lorsqu'il se réveilla. Il avait, dans le miroir de la petite salle de bains, une tête de repris de justice. Il quitta l'hôpital, marcha jusqu'à la gare où il trouva les taxis qui attendaient le premier train de Paris et se fit conduire à Beauval, espérant arriver chez sa mère sans rencontrer personne. Ce fut le cas.

Lorsqu'il descendit du taxi, il ne put s'empêcher de jeter un œil vers la maison voisine. Hasard ou intuition, alors qu'il n'était pas 6 heures du matin, derrière ses carreaux, Mme Mouchotte, immobile, intemporelle, le suivait du regard. Sa beauté spectrale confinait au cauchemar, il eut l'impression de voir une araignée au bout de son fil, prête à bondir…

Il se hâta d'entrer chez sa mère.

La maison de Mme Courtin était d'une propreté provinciale. Les papiers se trouvaient dans le même tiroir depuis la naissance du monde. Il avait dormi lourdement et d'un sommeil agité sur sa chaise d'hôpital, il était terriblement courbatu, il s'allongea sur le canapé, s'endormit et se réveilla en milieu de matinée épuisé, déprimé, vaporeux comme un lendemain de cuite ou de fête de Noël, c'est souvent pareil.

Il utilisa l'appareil ancestral de sa mère pour fabriquer un café qui reproduisit exactement l'odeur et le goût qu'il avait connus pendant toute son enfance.

Il ne résista pas au besoin de reprendre l'actualité où il l'avait laissée, alluma le téléviseur. Le visage du procureur de la République emplissait l'écran et évoquait « l'identité de la victime dont le squelette a été retrouvé hier » :

« Il s'agit bien du jeune Rémi Desmedt, disparu le 23 décembre 1999. »

Antoine lâcha sa tasse, qui se brisa sur le tapis. Il eut le curieux réflexe de regarder en direction de la fenêtre comme s'il s'attendait à voir réunie devant l'ancienne maison des Desmedt la population entière de Beauval, et à entendre, à travers les vitres, la clameur populaire réclamer vengeance.

« Les inondations de 1999 n'avaient pas atteint les hauteurs de Saint-Eustache. Les restes de l'enfant, protégés par les nombreux arbres qui se sont abattus à cette période, ne se sont pas trop dégradés au fil des années et ont permis à l'Identité judiciaire de procéder aux analyses. »

Antoine fixa, sur le tapis, les débris de la tasse cassée, le café renversé faisait une tache large et sombre qui s'agrandissait comme une tache de vin sur une nappe...

« L'enfant a reçu un coup violent sur la tempe droite, qui a sans doute entraîné sa mort. Il est évidemment trop tôt pour dire s'il a subi d'autres violences. »

Il ne se passait pourtant rien que de très logique, mais Antoine fut affolé de constater la vitesse avec laquelle les recherches avançaient dans sa direction. Si l'on ajoutait à cela la fatigue des deux derniers jours...

Il se souleva, rassembla péniblement les papiers qu'il devait apporter à l'hôpital, appela le taxi de Fuzelières et sortit pour l'attendre, il avait besoin d'air.

Il n'eut pas le temps de revenir sur ses pas lorsqu'un reporter de radio l'assaillit au sortir du jardin.

— Vous occupez la maison voisine de celle du petit Rémi Desmedt à l'époque de sa disparition, l'avez-vous bien connu, quel genre d'enfant était-il… ?

Antoine balbutia quelques mots qu'on lui demanda de répéter :

— Euh…, c'était un voisin…

Antoine n'était pas à la hauteur : ne comprenait-il pas qu'il fallait une réponse plus personnelle, plus émotionnelle ? Le reporter était agacé.

— Oui, bien sûr, mais… quel genre d'enfant ?

Le taxi arriva, Antoine se précipita dedans.

Par la vitre, il vit que le journaliste s'était déjà tourné vers une jeune femme blonde. C'était Émilie, sortie de chez elle, enveloppée dans le châle de sa mère. Elle avait forci. En répondant à la question du reporter, elle suivit d'un regard rancunier le taxi qui s'éloignait.

Mme Courtin était toujours dans un délire intermittent et tourmenté, elle s'agitait, tournait la tête en tous sens, prononçait des syllabes incohérentes et répétitives, des prénoms (Antoine ! Christian !), ceux de son fils, de son ex-mari, et d'autres (Andrée !) qui devaient remonter à son enfance.

Toute la journée Antoine resta près d'elle, lui essuya le front, il sortit pour que l'on procède à sa toilette, revint s'asseoir épuisé, malade, torturé.

Le délire de Mme Courtin paraissait tourner en boucle. Sa tête faisait toujours le même mouvement, ses lèvres prononçaient toujours les mêmes syllabes : « Antoine ! Andrée ! » Rester auprès d'elle était d'autant plus oppressant que, sur le téléviseur placé en haut du mur, les reportages sur « l'affaire Rémi Desmedt » ne cessaient de défiler.

Les archives avaient été exhumées. Elles n'avaient pourtant qu'une douzaine d'années, mais ces images avaient terriblement vieilli : Beauval avec son platane sur la place de la mairie, la maison du petit Rémi avec M. Desmedt qui se fâchait contre les journalistes et tentait de les chasser comme une nuée malsaine ; M. Weiser, le maire, en organisateur affairé le matin de la battue, le départ des groupes de recherche vers la forêt domaniale, puis les images de la tempête, de l'inondation, les voitures saccagées, les arbres abattus, les habitants exténués, démoralisés…

Laura laissa toute la journée des textos sur le portable d'Antoine, qui tous revenaient à la même chose : je t'aime.

Mme Courtin émergea enfin du coma vers 18 heures. Antoine appela les infirmières. Ce fut aussitôt le branle-bas de combat, on l'emmena, Antoine attendit nerveusement dans le couloir. Il fallut plus d'une heure avant qu'une infirmière vienne lui confirmer que sa mère avait repris conscience, qu'elle resterait en observation assez longtemps, qu'il n'était pas nécessaire de patienter ici, il serait prévenu de toute évolution de la situation.

Il passa prendre ses vêtements, il allait rentrer à l'hôtel, dormir, dormir…

Le téléviseur était resté allumé. Antoine leva le regard vers l'écran :

« Les techniciens de l'Identité judiciaire ont retrouvé sur place un cheveu qui n'appartiendrait pas à la victime. Il est évidemment impossible d'en déduire qu'il s'agit d'un cheveu du meurtrier, même si la probabilité est assez élevée… La recherche de l'ADN est en cours. Le résultat, lorsqu'il sera connu, c'est-à-dire très bientôt, sera comparé aux ADN recensés dans le Fichier national des empreintes génétiques. En cas de rapprochement, cette personne sera invitée à s'expliquer sur la présence de son cheveu près de la dépouille de l'enfant disparu… »

18

Un peu avant minuit, Antoine était étendu
sur le lit de sa chambre d'hôtel lorsqu'il entendit des pas dans le couloir, quelqu'un frappa à
sa porte. Sans attendre, Laura entra, posa son
sac et jeta sa veste. Antoine n'eut pas le temps
de dire un mot, Laura était allongée sur lui, la
tête dans son cou, elle respirait fort, comme
quelqu'un qui a couru. Antoine referma ses
bras sur elle. Cette présence inattendue, il ne
savait pas très bien ce que ça lui faisait.

En d'autres temps, il l'aurait déjà retournée
depuis longtemps, mais cette nuit-là...

Il ne parvenait pas à imaginer la réaction
de Laura lorsqu'elle apprendrait quel homme
il était en réalité. Pour sa mère, c'était différent, elle savait quelque chose depuis toujours.
La première partirait, la seconde en mourrait.
Laura, après être restée longuement couchée

sur lui, se déshabilla, le déshabilla comme s'il était un enfant, souleva les draps pour qu'ils s'y glissent l'un contre l'autre, se lova contre lui, très serrée, et s'endormit.

Antoine était exténué, mais le sommeil ne venait pas. Laura respirait profondément, calmement. Cette confiance le peina. Il se mit à pleurer, très doucement.

Sans ouvrir les yeux, sans bouger, Laura passa un doigt sur sa joue pour attraper une larme et y laissa sa main.

Quelques secondes plus tard, il dormait, et lorsqu'il se réveilla, c'était le jour, sa montre marquait 9 h 30, Laura était partie en laissant un mot dans la marge d'une revue dont elle avait arraché une page, je t'aime.

Deux jours passèrent pendant lesquels on vit Mme Courtin se rétablir d'heure en heure. Elle restait pâle, fatiguée, elle mangeait très peu, mais son discours n'était plus incohérent que par intermittence, ses repères spatio-temporels se reconstruisaient, son équilibre s'affermissait et, après une ultime séance de radiographie, on songea à la renvoyer chez elle.

Soucieuse, sans doute, de montrer qu'elle avait « toute sa tête », Mme Courtin tint absolument à faire sa valise elle-même, s'appuyant parfois du bout des doigts à l'angle de la table de nuit ou au lit lorsque son équilibre redevenait précaire.

Antoine se contenta de lui passer les vêtements qu'elle pliait ensuite et empilait avec soin, mais le regard de l'un comme de l'autre restait rivé à l'écran de télévision où il n'était question que des nouveautés dans « l'affaire Rémi Desmedt ».

Antoine reconnut la jeune journaliste aperçue devant l'hôtel de ville de Beauval quelques jours plus tôt.

« L'ADN a donc parlé et la police en sait maintenant un peu plus sur le propriétaire du cheveu trouvé près de la dépouille du petit Rémi Desmedt. Il s'agirait d'un individu de sexe masculin, de type caucasien. S'il n'est pas possible d'évaluer sa taille, on est en revanche certain qu'il a des yeux marron et des cheveux clairs. Cette description correspond évidemment à un très grand nombre d'individus et ne permet pas aux enquêteurs de dresser un véritable portrait-robot de cette personne. »

Antoine attendit que l'information soit répétée pour en tirer une conclusion à laquelle il n'osait pas encore croire : la police avait un ADN, le sien très probablement, mais il n'avait jamais été fiché et, tant qu'il ne le serait pas, les risques d'être convaincu du meurtre de Rémi Desmedt étaient à peu près nuls…

Il semblait peu probable que l'enquête soit rouverte, et d'abord, dans quelle direction irait-on…

Plus de dix ans après, l'affaire Rémi Desmedt faisait quelques ronds dans l'eau avant de disparaître de nouveau.

La vie d'Antoine allait-elle reprendre un cours normal ?

— Eh bien, madame Courtin, on comptait sur vous pour Noël !

L'infirmière, une petite brune au regard pétillant, devait adresser cette plaisanterie à tous les partants et elle s'attendait au même succès que d'ordinaire, mais elle tomba sur deux personnes immobiles, aspirées par l'écran de télévision auquel, à son tour, elle finit par s'intéresser.

La caméra filmait le supermarché de Fuzelières et plus particulièrement la porte qui, sur le côté du bâtiment, était réservée au personnel et par où sortait M. Kowalski, encadré par deux gendarmes.

« Le seul suspect dans cette affaire reste M. Kowalski, l'ancien charcutier de Marmont, autrefois relâché faute de preuves. Il y a fort à parier que les enquêteurs vont faire pression sur cet unique témoin pour obtenir de lui un prélèvement leur permettant de comparer son

ADN avec celui qui a été retrouvé près de la malheureuse victime de 1999. »

Les gestes de Mme Courtin étaient devenus plus vifs. Elle avait du mal à masquer une colère qu'Antoine lui avait toujours connue au sujet de son ancien patron, cette impression d'avoir été trompée par un homme auquel elle avait pourtant fait, naguère, une solide réputation de radin et d'exploiteur. Sans doute éprouvait-elle aussi cette hargne et cette indignation que l'on ressent lorsqu'on est passé, sans le savoir, à côté d'un personnage qui se révèle ensuite pervers, manipulateur, voire monstrueux.

C'était la seconde fois qu'Antoine assistait à son arrestation et la seconde fois qu'il sentait confusément, et sans honte excessive, combien il serait soulagé par une erreur judiciaire. Il n'en serait évidemment pas question cette fois-ci, l'ADN ne mentirait pas comme pouvait le faire un témoin, mais l'espoir que ce Kowalski serait condamné à sa place le traversa de nouveau. Antoine ne l'avait pas vu depuis de nombreuses années. Lui aussi avait considérablement vieilli ; ses cheveux étaient blancs, son visage émacié semblait plus maigre encore, il marchait d'un pas lent, les bras ballants.

La réputation de son commerce n'avait pas survécu à son arrestation en 1999. Sa charcuterie avait périclité année après année, il avait dû vendre et il était devenu le chef du rayon boucherie-charcuterie du supermarché de Fuzelières.

M. Kowalski serait relâché dans quelques heures, dans un jour ou deux tout au plus, ce serait peut-être le dernier rebondissement dans cette affaire destinée maintenant à enrichir les archives de la police. Minute après minute, Antoine sentait sa poitrine se libérer, des images lui parvenaient sans cesse à l'esprit, Laura, la fin de leurs études, le départ pour l'étranger…

Mme Courtin rentra chez elle (« En taxi… On aurait pu prendre le car… »), aéra la maison (« Tu aurais quand même pu le faire, Antoine ! »), établit une liste de courses (« Attention, les biscottes, c'est Heudebert, s'il n'y en a pas, tu ne prends rien ! »)…

Ce qu'Antoine avait toujours difficilement supporté, bientôt il n'aurait plus à le faire, mais pour l'heure il accueillait les remarques de sa mère avec bonhomie tant il était heureux et soulagé de la voir rentrer chez elle. « Plus de peur que de mal », disait-elle aux connaissances qui l'appelaient. L'annonce de son retour avait déjà fait trois fois le tour de Beauval.

Antoine retarda le plus longtemps possible le moment d'aller en ville, d'être accosté par tous ceux qui lui demanderaient des nouvelles de sa maman. Alors, Blanche est rentrée ? Eh ben, tant mieux, tant mieux, c'est qu'on a eu peur, tu sais, moi, j'étais pas là, mais on m'a raconté, le bond qu'elle a fait, oh oui, la peur qu'on a eue... Il s'interrogeait aussi avec inquiétude : les Mouchotte avaient-ils rendu publique l'infortune de leur fille, mais non, personne n'était au courant. Ni Émilie ni ses parents n'avaient désiré affronter une situation que, chez n'importe qui d'autre, ils auraient condamnée.

Théo, qui montait quatre à quatre les marches de la mairie, lui fit un petit signe de loin. Il croisa aussi Mademoiselle, comme on appelait la fille de Me Vallenères. Deux fois par semaine, elle quittait la maison de santé médicalisée où elle avait été placée à la mort de son père et faisait son tour en ville, poussée par une garde-malade. Elle s'installait à la terrasse du Café de Paris. En été, elle y mangeait une glace dont l'infirmière essuyait les coulures sur son menton, en hiver c'était un chocolat brûlant qu'on lui faisait boire à petites gorgées. Son fauteuil roulant n'était plus le véhicule fantasque et bariolé d'autrefois, mais la jeune femme, elle, n'avait pas changé, son corps était toujours ce cep de vigne asséché, on voyait toujours, posées sur sa couverture écossaise, ses mains blanches et glacées, son visage était, aujourd'hui encore, un regard incandescent dans un masque mortuaire.

Antoine attendit patiemment son tour dans toutes les boutiques où, sans souci du temps, s'échangeaient les nouvelles.

Il se sentait rempli d'une légère euphorie qui, bien sûr, devait beaucoup à la fatigue des derniers jours, mais qui traduisait aussi un état progressif de réassurance. S'il n'y avait pas eu cette histoire avec Émilie Mouchotte... Même cela, il le considérait comme un embarras mineur à côté des menaces qui s'étaient accumulées au-dessus de lui... Qu'est-ce que ce serait, un peu d'argent, la belle affaire...

Il n'osait pas encore y croire.

Il allait terminer ses études, partir loin de tout ça, reconstruire sa vie.

19

Sans surprise, M. Kowalski fut libéré le surlendemain, innocenté, mais tout aussi suspect aux yeux des habitants de Beauval qui ne changeaient pas facilement d'avis, il n'y a pas de fumée sans feu, ça ne changerait jamais.

À mesure que l'inquiétude d'Antoine se calmait, en écho, l'intérêt de sa mère pour les nouvelles locales se tassa. Elle ne fixait plus l'écran de télévision avec la même avidité que ces derniers jours à l'hôpital. C'est tout juste si, contrairement à Antoine, elle prêta attention à la déclaration du procureur de la République répondant aux journalistes depuis le palais de justice de la préfecture :

« Non, faire passer un test ADN à l'ensemble de la population de Beauval n'est pas réaliste. Ce projet excéderait de loin nos disponibilités financières, mais surtout, il ne s'appuierait sur aucune donnée rigoureuse. Il n'y a aucune raison objective pour que le porteur de l'ADN que nous recherchons (s'il s'agit bien du meurtrier du petit Rémi Desmedt !) soit plutôt un habitant de Beauval que celui d'une ville voisine ou simplement une personne de passage... »

— Eh ben voilà ! grommela Mme Courtin, comme si le magistrat confirmait là une théorie qu'elle avait toujours défendue.

Cette dernière hypothèque levée, Antoine était maintenant libre de partir : Mme Courtin avait repris du poil de la bête, il était temps de rentrer et de retourner à la préparation de ses examens.

— Déjà ? demanda Mme Courtin sans y croire elle-même.

Sa mère, qui avait insisté pour organiser un « petit repas » (elle appelait « petit » tout ce qu'elle trouvait important), enfila son manteau, direction le centre-ville où, chez les commerçants, elle ferait figure de miraculée avec de faux airs de modestie qui faisaient sourire Antoine.

Il rassembla ses affaires. Il ne voulait pas appeler Laura, il se réservait de la surprendre à son tour par son arrivée.

Mme Courtin, pendant le repas, s'offrit le luxe d'un doigt de porto. Ils déjeunèrent sans échanger grand-chose, un peu étonnés l'un et l'autre de se trouver là, ensemble, dans cette circonstance imprévue dont l'issue, deux jours plus tôt, semblait encore si incertaine.

Puis Mme Courtin regarda l'heure, étouffa un bâillement.

— Tu as le temps, lui dit Antoine.

Elle monta faire un petit somme avant son départ.

La maison se mit à fourmiller de silence.

Puis la sonnerie de la porte résonna. Antoine ouvrit.

C'était M. Mouchotte.

Les deux hommes n'eurent pas un geste l'un pour l'autre, gênés tous les deux par cette situation incongrue. Antoine se rendit compte que jamais encore il n'avait parlé directement avec le père d'Émilie.

Il s'écarta et l'invita à entrer.

M. Mouchotte était un homme grand, aux cheveux très courts comme ceux des militaires et au nez avantageux. L'ensemble, conforté par une volonté permanente d'affirmer sa dignité et un port rigide, lui donnait un vague air d'empereur romain. Ou d'instituteur du siècle dernier, il tenait d'ailleurs les mains derrière le dos, ce qui lui permettait de bomber le torse et de relever le menton.

Antoine était mal à l'aise, il n'avait aucune envie d'endurer une leçon de morale, toute cette histoire n'était rien d'autre qu'un accident. Si les Mouchotte tenaient absolument à ce que l'enfant d'Émilie vienne au monde, Antoine n'y pouvait rien, il n'éprouvait aucune culpabilité, mais il sentait clairement, à l'attitude déterminée et même menaçante de M. Mouchotte, qu'il ne s'en tirerait pas si facilement : on était venu lui réclamer de l'argent, on spéculait déjà sur ce qu'un médecin pourrait gagner.

Antoine serra les poings, on allait tenter de profiter de la situation, il ne s'était pas renseigné sur ses droits…

— Antoine…, commença M. Mouchotte, ma fille a cédé à vos avances. À votre insistance…

— Je ne l'ai pas violée !

Intuitivement, Antoine pensa qu'une attitude offensive, délibérément non coupable, était la plus efficace, il n'avait pas l'intention de s'en laisser conter.

— Je n'ai pas dit cela ! protesta M. Mouchotte.

— C'est heureux. J'ai proposé à Émilie une solution qu'elle a préféré refuser. C'est son choix, mais c'est aussi sa responsabilité.

M. Mouchotte resta interdit et offusqué.

— Vous ne voulez pas dire que…

Il s'en étouffait, les mots ne lui venaient pas…

Antoine se demanda si Émilie avait rapporté à son père sa proposition d'avortement ou s'il la découvrait maintenant.

— Si, confirma Antoine, c'est tout à fait ce que je veux dire… C'est encore possible. C'est… c'est limite, mais c'est possible.

— La vie est sacrée, Antoine ! Dieu a voulu qu…

— Ne m'emmerdez pas avec ça !

On aurait dit qu'on venait de le gifler. Il avait beau jouer les empereurs romains, il perdait déjà pied, ce qui conforta Antoine dans son attitude combative.

Le cri de son fils avait intrigué Mme Courtin, dont on entendit le pas dans l'escalier.

— Antoine ? demanda-t-elle en arrivant à la dernière marche.

Il ne se retourna pas vers elle. Mme Courtin eut, en passant la tête, l'étrange vision de ces deux hommes face à face, dressés sur leurs ergots, visiblement prêts à en découdre… Elle remonta dans sa chambre sur la pointe des pieds. M. Mouchotte, submergé par l'indignation, ne s'était même pas rendu compte de sa présence.

— Mais enfin…, vous avez déshonoré Émilie !

Il parlait maintenant sur une tonalité basse, il articulait chaque syllabe pour souligner qu'il ne parvenait pas à croire à ce qu'Antoine disait tant c'était énorme.

— Oh, ajouta celui-ci pour faire bonne mesure, question « déshonneur », comme vous dites, elle ne m'a pas attendu, je peux vous l'assurer.

Cette fois, M. Mouchotte était outré.

— Vous insultez ma fille !

La conversation était mal engagée et il déplaisait à Antoine de profiter d'un avantage aussi facile, mais il n'avait pas l'intention de baisser sa garde, il décida de pousser son avantage :

— Votre fille fait ce qu'elle veut de son corps, ça ne me regarde pas. Mais je ne…

— Elle était fiancée !

— Oui, eh bien, ça ne l'a pas empêchée de coucher avec moi.

Antoine devait se tirer de ce mauvais pas coûte que coûte, et avec un interlocuteur comme M. Mouchotte, il valait mieux ne pas trop faire dans la nuance.

— Écoutez, monsieur Mouchotte, je comprends votre embarras, mais de vous à moi, votre fille n'est pas tombée de la dernière pluie. Alors elle est enceinte de quelqu'un, c'est certain, mais je n'ai pas plus de responsabilité dans cette affaire que… disons, que les autres.

— Je me doutais que vous étiez un homme méprisable…

— Eh bien, la prochaine fois, vous recommanderez à votre fille de mieux choisir ses amants.

M. Mouchotte hocha la tête, bien, bien, bien…

— Puisque vous le prenez ainsi…

De derrière son dos, il sortit un journal qu'il brandit devant lui, comme un tue-mouches. Le journal de la région. Antoine ne parvint pas à savoir s'il s'agissait de celui du jour.

— On le sait… il est possible aujourd'hui de faire des tests !

— Comment ça… ?

Antoine avait pâli.

M. Mouchotte se rendit compte qu'il avançait dans la bonne direction.

— Je vais porter plainte contre vous…

Antoine vit se profiler la menace, mais il ne parvenait pas à comprendre quelles implications elle aurait sur sa vie.

— Je vais vous faire un procès et vous contraindre à un prélèvement génétique qui prouvera, de manière indiscutable, que vous êtes le père de l'enfant que porte ma fille !

Antoine fut terrassé, il resta la bouche ouverte, incapable de réfléchir sereinement à la situation.

Cet imbécile disait des choses dont il ne mesurait pas les conséquences.

— Foutez-moi le camp, souffla Antoine d'une voix blanche.

— Il vous est encore possible, conclut M. Mouchotte, de préférer la voie de l'honneur à celle de l'infamie tant pour Émilie que pour vous. Car, sachez-le, rien ne me fera changer d'avis ! Je me rendrai au tribunal, j'exigerai ce prélèvement et vous serez obligé, que vous le souhaitiez ou non, d'épouser ma fille et de reconnaître cet enfant !

Il fit un demi-tour martial et sortit en claquant la porte.

Antoine eut besoin d'un appui, il se cramponna au chambranle. Il fallait trouver une parade.

Il grimpa l'escalier quatre à quatre, entra dans sa chambre, s'y enferma et commença à marcher de long en large.

Allait-il être contraint d'épouser Émilie Mouchotte ?

Cette perspective lui donna la nausée. Et où habiteraient-ils d'ailleurs, jamais Émilie n'accepterait de partir à l'étranger, de s'éloigner de ses parents.

Et de toute façon, que vaudrait son dossier auprès d'une organisation humanitaire lorsqu'il serait père d'un enfant d'un an ou deux ?

Serait-il alors condamné à rester à Beauval ?

C'était insupportable.

Antoine essaya d'imaginer la situation de la manière la plus concrète. M. Mouchotte allait porter plainte. Il arrivait dans le bureau d'un juge… qui trouverait cette demande ridicule. « On ne fait ce genre de chose qu'en cas de viol, monsieur Mouchotte, dirait-il, votre fille a-t-elle porté plainte pour viol… ? »

Non. Antoine se rassura : jamais un magistrat ne donnerait suite à cette requête, c'était impossible.

Mais en même temps, le juge ne manquerait pas de se poser une autre question : s'il était si certain de n'être pas le père, pourquoi Antoine Courtin ne le faisait-il pas, ce test ?

Le juge s'interrogerait certainement sur cet homme qui refusait un test génétique… au moment où l'on venait de découvrir l'ADN de l'assassin de Rémi Desmedt. Cet homme étant justement celui qui, autrefois, avait été parmi les derniers à avoir vu Rémi vivant…

Alors, par acquit de conscience, on interrogerait Antoine de nouveau.

Et il le savait, jamais il ne supporterait un interrogatoire sur ce qui s'était passé douze ans plus tôt. C'était impossible. Il tenterait de mentir de nouveau, il le ferait mal, se troublerait, le juge serait ébranlé, ce ne serait pas la première fois qu'un coupable d'un crime de sang serait arrêté à l'occasion d'un délit mineur…

Peut-être même le juge le contraindrait-il alors à un test génétique…

Il valait mieux céder.

Et faire ce test maintenant pour couper court à cette suspicion dont Antoine ne se relèverait jamais.

Cette idée lui apporta un peu de réconfort. Car enfin, s'il était le père de cet enfant, il paierait une pension, voilà tout ! Il n'était pas question de gâcher sa vie en épousant cette… Il chercha le mot, ne le trouva pas.

Il entendit, de l'autre côté de la cloison, quelques bruits feutrés, de petits chocs, comme ceux que font les personnes précautionneuses dans les chambres d'hôtel trop sonores.

C'était sa mère qui, comme à son habitude, devait faire comme si de rien n'était, ranger sa chambre pourtant déjà ordonnée comme il l'avait vue faire pendant toute son enfance.

Entendre, sentir presque physiquement sa présence le glaça jusqu'aux os… S'il se révélait être le père, c'est-à-dire le coupable, et qu'il refusait d'épouser Émilie, les Mouchotte se répandraient dans toute la ville, désigneraient du doigt la famille Courtin...

Que deviendrait alors la vie de sa mère ?

Elle devrait supporter cette tache sur sa réputation. Pour tout un chacun, elle serait la mère d'un homme lâche, incapable de faire face à ses responsabilités, à ses obligations. Regardée, observée, jugée, moralement humiliée, jamais elle ne survivrait à une existence pareille, non, c'était impossible.

Antoine n'avait qu'elle, sa mère n'avait que lui.

Il était incapable de lui imposer pareille épreuve.

Elle en mourrait.

Il ne lui restait qu'une solution : accepter le test et espérer que le résultat prouverait son innocence.

Rien n'était moins sûr.

Mais surtout il y avait autre chose.

Antoine entendit de nouveau les propos de la journaliste :

« ... un prélèvement leur permettant de comparer son ADN avec celui qui a été retrouvé près de la malheureuse victime de 1999. »

Antoine ressentit un vertige, il dut s'asseoir. S'il se pliait à ce test, qu'il soit positif ou non, le résultat allait être stocké quelque part...

Il allait exister.

Pour longtemps, très longtemps. Dans quel fichier serait-il enregistré, ce test ? Quelle administration en aurait la charge ?

Personne ne pouvait être certain qu'on ne le croiserait pas, tôt ou tard, avec… l'ADN de l'assassin de Rémi Desmedt.

N'importe quelle décision législative pouvait demain autoriser la justice à croiser tous les fichiers ADN disponibles…

Une épée de Damoclès serait éternellement suspendue au-dessus de sa tête.

La seule solution, c'était de le refuser.

Antoine venait de boucler la boucle. C'était une impasse : qu'il fasse ce test ou qu'il ne le fasse pas revenait au même.

Ce qui ne surviendrait pas aujourd'hui serait une menace pour demain.

Et pour toute une vie.

— À quelle heure est donc ton train, Antoine… ?

Mme Courtin était arrivée sans qu'Antoine l'entende, elle avait passé la tête.

Elle vit aussitôt dans quel état d'agitation se trouvait son fils.

— Bon, si tu ne prends pas celui-ci, il y en a d'autres…

Elle ferma la porte et descendit.

Antoine faisait les cent pas dans la chambre, tentait de rassembler ses idées, mais il en revenait toujours à l'évidence : il n'avait qu'une issue : empêcher M. Mouchotte de porter plainte.

Ou se préparer à vivre dans l'angoisse, et peut-être même à passer quinze années en prison, après un procès à retentissement national, la terrible destinée d'un assassin d'enfant… Tout ce qu'il était parvenu à éviter jusqu'ici.

Il s'était passé douze ans depuis un crime qu'il avait commis à l'âge de douze ans et le dernier acte de la tragédie dans laquelle il avait plongé ce jour de décembre 1999 se déroulait peut-être ici, maintenant…

La nuit tomba.

Il entendit sa mère se coucher, sans un mot, sans une question.

Jusqu'au matin, il marcha dans sa chambre de long en large. C'était, pour lui, un malheur absolu. Sa vie n'était rien d'autre que l'immense défaite à laquelle son enfance, un pur chagrin, l'avait destiné.

Lorsque le jour se leva, il se demanda si, avec Émilie, il ne s'était pas condamné lui-même. Sa peine, pour le crime qu'il avait commis, n'était pas constituée d'années de prison, mais d'une vie entière qu'il abhorrait d'avance, qui représentait tout ce qu'il détestait, auprès de gens médiocres, à exercer un métier qu'il aimait dans des conditions qu'il haïssait...

Telle était sa punition : purger sa peine en toute liberté au prix de son existence tout entière.

Au matin, Antoine avait admis sa défaite.

2015

20

Il pleuvait sans discontinuer depuis plus d'une semaine. Si l'on ajoutait à cela la nuit qui maintenant tombait dès la fin d'après-midi, la tournée devenait vraiment fatigante. Il avait beau tenter de s'organiser, de dessiner des parcours rationnels, les appels en cours de route l'obligeaient toujours à repasser deux fois à Marmont, trois fois à Varenne, ça ne manquait jamais.

Antoine regarda sa montre, 18 h 15, il devait déjà y avoir une bonne douzaine de personnes dans la salle d'attente, il ne serait pas à la maison avant 21 heures. Il vit son visage dans le rétroviseur. Quelques jours avant son mariage, il s'était décidé à se laisser pousser la moustache et l'avait conservée. Elle le vieillissait considérablement, même sa mère le lui avait dit, ça n'avait aucune importance, ni pour lui, ni pour Émilie. Elle, de toute manière… C'était vraiment la bouteille à l'encre, cette femme-là. Il avait été très en colère contre elle au début, il s'était reproché de s'être fait berner, d'avoir trop facilement cédé à la panique. Il avait même pensé à le passer, ce test génétique, mais il ne l'avait pas fait parce que cela n'aurait rien changé au cours que son existence avait pris. C'était trop tard.

Alors, il s'était calmé, il avait regardé sa femme autrement, il ne l'aimait pas mais il l'avait comprise. C'était une sorte de papillon, instable et versatile, sujette à des emballements soudains, sans préméditation comme sans regret. Elle était toujours très jolie, elle s'était remise de sa grossesse en quelques semaines, ventre plat, seins parfaits et toujours ce cul d'anthologie… Lorsqu'il la surprenait sous la douche, il en était encore ébahi. De temps à autre, il venait se coucher sur elle, elle acceptait tout, toujours, elle faisait semblant de jouir en poussant des petits cris étouffés « à cause du bébé », se retournait en lui assurant que c'était « encore mieux que la dernière fois » et s'endormait aussitôt. Émilie, Antoine en était certain, n'avait jamais joui. Avec personne. Il ne s'interrogeait plus sur leurs rapports, en tant que médecin, il se contentait de veiller à ce qu'elle fasse attention, mais c'était en pure perte : cette femme échappait à tout contrôle.

Au début, c'était un crève-cœur pour Antoine de repasser inopinément à la maison, de voir Émilie remonter du sous-sol en lissant sa jupe et en se démêlant un peu les cheveux, puis de trouver en bas un électricien rougissant qui n'avait même pas ouvert sa boîte à outils. S'il l'avait aimée, il aurait été très malheureux. En réalité, il était un peu malheureux, mais pas pour lui. Lorsqu'il la regardait à la dérobée, à table, dans la cuisine, il avait le cœur serré de voir ce gâchis : une beauté mélancolique dans la tête de laquelle il ne se passait rien.

Émilie acceptait sa vie comme elle acceptait tout, de tout le monde. Avec une prédilection pour les étreintes volées et les saillies fugaces.

Sauf avec Théo. Il avait repris la fabrique de son père deux ans plus tôt et l'avait remplacé à la mairie aux dernières élections. Depuis, il jouait au patron d'aujourd'hui, au notable moderne, il animait le conseil municipal en jean Diesel, se rendait en chemise blanche, mais sans cravate, au monument aux morts, recevait les gens du syndicat en baskets Converse, on mimait la proximité, on tirait sur les salaires en se tutoyant avec tout le monde. On sautait la femme du médecin, un copain d'enfance, ça ne compte pas.

Antoine fut arrêté par un camion de grumes qui manœuvrait sur la route au milieu de
la forêt domaniale. Il dut patienter. Il redou-
tait les instants d'accalmie, c'est sans doute
pour cela qu'il avait finalement aimé ce métier,
médecin de campagne. Le docteur Dieulafoy
dont il avait acheté le cabinet un an plus tôt
le lui avait prédit, vous ne ferez pas ce métier
plus de deux mois ou vous le ferez toute votre
vie, il n'y a pas d'entre-deux. C'était vrai. Il
s'était investi immédiatement, il ne décroche-
rait sans doute jamais.

Pour le reste, la vie s'était installée.

Émilie, pareille à elle-même depuis le premier jour, proférait des lieux communs navrants
à longueur de temps, son beau-père bombait
le torse parce que sa fille était maintenant la
femme du médecin. Leur bébé avait été capté
par la belle-famille parce que Antoine « avait
beaucoup trop de travail pour s'en occuper »,
ce qui n'était pas faux.

Le petit Maxime était né un 1ᵉʳ avril. Ah,
on en avait entendu des plaisanteries fines à
ce sujet, toute la famille s'y était mise, quelle
blague, et c'est un Bélier, attention, hein,
pas un Poisson ! ha ha ha ! Le prénom de
Maxime, qui en disait long sur les fantasmes
de grandeur de la famille, avait été imposé par
M. Mouchotte, évidemment.

Après le mariage qui avait déjà été une histoire infernale (trois mois à plein temps pour quatre personnes, réunions de famille pour les faire-part, réunions d'église pour la messe, tractations pour le repas, déchirements pour les invitations, l'enfer...), la grossesse d'Émilie avait mobilisé le ban et l'arrière-ban, elle était indiscutablement la première femme à être enceinte depuis la Création.

Émilie était une mère triomphante. Elle avait porté son ventre très en avant, bien visible, comme un signe extérieur de richesse, elle passait devant tout le monde dans les files d'attente avec un sourire victorieux, demandait une chaise dans les boutiques et soufflait ostensiblement jusqu'à ce qu'on s'inquiète, elle se livrait alors au compte rendu détaillé des effets primaires et secondaires de cette grossesse en n'épargnant rien à personne, on avait droit à tout, les douleurs, les diarrhées, les vomissements, les sommeils ; je croyais qu'il gigotait, mais non, c'était les gaz ! Ah, les gaz ! c'est à cause de l'abdomen qui est compressé, quelle aventure c'était, oui, c'est éreintant (elle adorait ce mot-là), mais c'est aussi un « merveilleux cadeau de la vie », et quand elle était en grande forme, elle improvisait à ravir sur le thème « quelle plus belle aventure pour une

femme que de donner naissance à un enfant ».
Antoine était très déprimé.

Il n'avait d'abord rien ressenti pour son fils, ni amour, ni haine, il n'appartenait pas à sa vie. Émilie et sa mère jouaient à la poupée en permanence avec ce bébé qu'Antoine ne faisait que croiser. Il le soignait comme la plupart des bébés de la commune, c'en était un parmi tous les autres.

Puis Maxime s'était mis à marcher, puis à parler, et, chose à laquelle Antoine ne s'était pas attendu, il ne ressemblait pas aux Mouchotte. Parfois il avait l'impression que cet enfant tenait de lui, et il se sentait flatté, même si chez les autres il avait toujours trouvé cela ridicule.

Peut-être percevait-il cette ressemblance parce qu'il la désirait. Pour l'heure, il se contentait de l'observer. Il ne savait pas à quoi leur relation était promise.

Antoine redémarra, prit sur la droite, mon Dieu, plus d'une heure et demie de retard, la salle d'attente devait être bondée. Tant pis, ils attendraient, d'ailleurs ils attendaient toujours, Antoine était rapidement devenu un médecin très apprécié des Beauvalois. Celui-là, au moins, on connaissait sa mère.

Il s'arrêta en bas du perron, laissa les clés sur le contact, sortit en s'abritant de la pluie et entra dans la vaste maison. Il ne resterait pas longtemps, mais il avait promis, alors il venait. Bonjour docteur, on ne pensait plus vous voir à cette heure-ci, donnez-moi votre manteau, elle est impatiente, vous savez.

Oui, mais elle faisait toujours semblant d'être préoccupée par autre chose. Lorsqu'il entrait dans la salle, elle levait vers lui un regard surpris, ah, c'est vous, quel bon vent vous amène… ?

Mademoiselle avait maintenant trente et un ans, elle en faisait quinze de plus. Elle était effroyablement maigre, mais Antoine savait que ce squelette allait sans doute défier la mort pendant des décennies. Si Mademoiselle avait espéré mourir, ce désir lui était passé, un peu comme à Antoine celui de s'enfuir.

Il approcha une chaise, fouilla dans sa sacoche et, après avoir jeté un long regard circulaire, en sortit une plaquette de chocolat qu'il glissa sous la couverture de Mademoiselle. C'était un secret pour la forme, tout le monde savait qu'elle n'y avait pas droit et qu'elle en mangeait, y compris son médecin qui était son principal fournisseur.

Mademoiselle souleva discrètement le coin de la couverture pour voir la marque, elle fit une moue assez dégoûtée.

— Vous n'êtes pas très bon perdant, docteur…

Ils avaient commencé à jouer aux échecs lorsque Antoine avait pris, à la maison de santé, la succession du docteur Dieulafoy, mais il n'avait jamais le temps d'une vraie partie. C'est elle qui avait eu l'idée : ils échangeaient maintenant leurs coups par e-mail. Antoine réfléchissait à sa stratégie en voiture, répondait avant d'entrer chez un patient, recevait la réponse pendant sa consultation, répliquait à sa sortie. Mademoiselle avait raison, il n'était pas un bon perdant. Non pas à cause de la défaite, mais à cause de son systématisme : avec elle, il n'avait jamais gagné une seule partie. Il venait lui apporter du chocolat chaque fois qu'il perdait de nouveau.

— Je ne vais pas pouvoir rester, j'ai près de deux heures de retard.

— Eh bien, ils partiront, vos patients, ça leur fera peut-être beaucoup de bien ! Si ça se trouve, demain matin vous irez les voir et ils seront guéris !

Toujours la même chanson, comme un vieux couple. Antoine saisit l'extrémité des doigts de Mademoiselle, des doigts glacés et osseux qui attrapaient la main d'Antoine avec avidité, merci, à bientôt.

Retour sous la pluie. Beauval.

La ville avait changé ces dernières années. Le parc Saint-Eustache avait été une réussite, en saison, on y venait de toute la région. Parc familial, proximité, le concept avait fait recette. M. Weiser avait permis à Beauval de prendre le bon virage, son fils avait été élu dès le premier tour. Le tourisme avait déclenché des embauches, les commerçants étaient heureux et une ville dont les commerçants sont satisfaits est une ville contente de soi.

Ce virage avait d'ailleurs correspondu à la renaissance du jouet en bois. Ringard dans les années 90, il était redevenu à la mode avec la poussée écologiste de la population française, on s'était remis à adorer les petits trains en frêne et les toupies en sapin. *Weiser, jouets en bois depuis 1921*, avait presque retrouvé son niveau d'emploi d'avant la crise.

Salle d'attente bondée, chaleur moite, l'humidité coulant sur les vitres.

Antoine entrouvrit la fenêtre, ce que personne ne s'était permis de faire. Il lança un bonjour à la cantonade, accompagné d'un petit geste censé excuser son retard. Un murmure d'assentiment se fit entendre, on aimait bien avoir un médecin débordé, son activité garantissait sa qualité.

Il reconnut M. Fremont, Valentine, M. Kowalski. Le docteur Dieulafoy avait accueilli la proposition de reprise d'Antoine avec tout l'enthousiasme dont il était capable. La passion

301

qu'il avait pour son métier avait fait craindre
à Antoine qu'il refuse de décrocher, qu'il pro-
pose une collaboration, qu'il intervienne sans
cesse, mais pas du tout. Le cabinet sitôt vendu,
il était parti pour Viet Tri, une ville située au
nord d'Hanoi où il était allé prendre soin de
sa mère, une femme de quatre-vingts ans qu'il
n'avait pas vue depuis près de cinquante ans.
Avant de s'en aller, il avait laissé à Antoine des
fiches extraordinairement détaillées sur chaque
patient, ils avaient même pris un temps infini,
c'était l'exigence du vieux médecin, pour parler des cas les plus problématiques.

Antoine avait découvert à ce moment-là que
M. Kowalski faisait partie de la clientèle, mais
il ne l'avait encore jamais vu dans le cabinet.
Quant à Valentine, il faudrait négocier, elle
venait six fois par an solliciter un arrêt de travail, accompagnée de plusieurs de ses mômes
pour l'attendrir ou exciter sa pitié. Antoine se
montrait toujours faible avec elle, il renâclait
à rédiger l'arrêt de travail, mais il finissait par
le faire. Il ne se l'avouait pas, mais Valentine
occupait une place embarrassante dans son
histoire, elle était avant tout la jeune fille frappée par la disparition de son petit frère, la
sœur de l'enfant qu'Antoine avait tué.

Antoine prit le temps de s'installer pour
la troisième manche de la journée, ranger le

matériel, vérifier que tout était en ordre, replacer son portefeuille dans le premier tiroir de son bureau, le seul qu'il fermait à clé, réflexe plus magique que sécuritaire, il aurait suffi d'un coupe-papier à un enfant de dix ans pour en venir à bout en quelques secondes. C'est là qu'il conservait, sans trop savoir pourquoi, la réponse de Laura au courrier qu'il lui avait écrit, d'une traite, Laura (pas mon amour, ne pas lui laisser le moindre espace), je vais te quitter (être simple, clair, définitif), une longue explication concernant Émilie, la femme qu'il avait, en fait, toujours aimée, qu'il avait mise enceinte et qu'il allait épouser, et c'est mieux ainsi, je t'aurais rendue malheureuse, etc. Le genre de lettre idiote, menteuse et prévisible qu'adressent tous les hommes lâches à toutes les femmes qu'ils se décident enfin à quitter.

La réponse de Laura avait été immédiate, une grande feuille de papier blanc portant en haut à gauche : « D'accord. »

Il l'avait pliée, l'avait rangée dans le tiroir et fermé à clé. Et même, avec le temps, il l'avait presque oubliée.

Antoine rédigea un arrêt de travail d'une semaine pour Valentine, puis il reçut M. Kowalski, un homme sec, à la voix très douce, aux gestes lents et précis. Antoine écouta son cœur, fatigué. En prenant sa tension, il jeta un œil sur sa fiche, oui, il se souvenait, M. Kowalski était veuf, il calcula rapidement son âge, soixante-six ans.

— Bon, un virus…

M. Kowalski sourit aimablement, fataliste. Antoine écrivit sa prescription, qu'il commentait toujours, il soulignait toujours les posologies, tâchait d'écrire lisiblement, pas de snobisme.

Il rangea la fiche de son patient, le raccompagna à la porte et lui serra la main.

Déjà M. Fremont se levait et s'avançait lorsque Antoine fut saisi d'une brusque impulsion, il ne prit pas le temps de réfléchir :

— Monsieur Kowalski ?

Tout le monde se tourna vers la porte.

— Euh… vous pouvez revenir un instant ? demanda Antoine.

Il adressa un geste d'excuse à M. Fremont, ça ne sera pas long, si vous permettez…

— Entrez, entrez, disait-il en désignant la chaise que M. Kowalski venait juste de quitter, asseyez-vous un instant.

Et il faisait le tour de son bureau, reprenait sa fiche et la consultait de nouveau.

Andréi Kowalski, né à Gdynia, Pologne, le 26 octobre 1949.

Antoine avait été saisi d'une de ces intuitions si convaincantes qu'elles nous font, sur le coup, l'effet d'une révélation et qui, un instant plus tard, semblent totalement vaines.

Mais M. Kowalski baissa les yeux sur ses genoux et Antoine fut aussitôt convaincu qu'il avait vu juste.

Lui-même resta longuement silencieux, il ne savait pas comment s'y prendre… Parce que la porte qui pouvait s'ouvrir à l'instant, il ignorait ce qu'il y avait derrière. Et il ne savait pas non plus s'il pourrait jamais la refermer. Il avait conservé entre les mains la fiche bristol de son patient. André.

— Il y a quelques années, ma mère est restée quelques jours dans le coma…, commença-t-il sans lever les yeux.

— Je m'en souviens, j'ai pris des nouvelles à cette époque, mais ça va mieux maintenant, je crois… ?

— Oui, bien… À l'hôpital, elle délirait… Elle appelait ses proches, mon père, moi… Je me demande…

— Oui ?

— Je me demande si elle ne vous a pas appelé, vous aussi. C'est Andréi, votre prénom, c'est ça ?

— Andréi, c'est mon nom de baptême. Ici, on dit André…

Antoine faisait peut-être fausse route mais maintenant qu'il avait cette question à l'esprit, il ne pouvait faire autrement que la poser :

— C'est aussi de cette manière que ma mère vous appelait ?

M. Kowalski fixait maintenant Antoine en fronçant les sourcils. Allait-il s'emporter, se lever et sortir, répondre… ?

Il questionna d'une voix douce :

— Où voulez-vous en venir, docteur Courtin ?

Antoine se leva, fit le tour de son bureau et vint s'asseoir à côté de M. Kowalski.

Il l'avait souvent rencontré, souvent regardé à cause de son étonnant physique qui avait toujours suscité, chez lui comme chez bien d'autres, un sentiment de gêne inexplicable, mais maintenant qu'il le détaillait, c'était étrange, il émanait de lui une puissance sereine, celle que l'on attribue volontiers à un père lorsqu'on est un jeune enfant.

Les idées bataillaient dans l'esprit d'Antoine au point qu'il ne savait plus comment avancer dans cette conversation.

Son interlocuteur, lui, ne semblait nullement gêné. Il donnait au contraire l'impression qu'il ne dirait jamais quelque chose qu'il désirait taire.

— Si vous ne voulez pas parler avec moi, dit Antoine, vous êtes libre de vous retirer, monsieur Kowalski, vous n'êtes tenu à rien.

M. Kowalski médita longuement sa décision.

— J'ai pris ma retraite le mois dernier, docteur. J'ai une petite maison dans le Sud…

Il émit un petit rire sec et bref.

— Je dis une maison, c'est pour faire joli, en fait, c'est une caravane, mais enfin… elle est à moi. C'est là que je vais me retirer. Je ne pense pas que nous nous reverrons, docteur. J'avais prévu de… Je n'imaginais pas que vous me demanderiez aujourd'hui, là, comme ça…

Les phrases qu'ils prononçaient étaient fragiles, tendues, elles auraient tenu sur un fil et semblaient prêtes à tomber, à se briser.

— Je vous parle de ma retraite pour dire… que le temps a passé maintenant, tout ça ne compte plus.

— Je comprends.

Antoine posa ses mains sur ses genoux et s'apprêta à se lever.

Mais il en fut empêché.

— J'ai été très intrigué, vous savez, reprit M. Kowalski, quand je vous ai aperçu ce jour de décembre…

Antoine s'arrêta un instant de respirer.

— Je roulais, je traversais la forêt à la lisière de Saint-Eustache, et d'un coup, là, dans mon rétroviseur, je vois ce garçon couper la route en courant, en se cachant, j'ai tout de suite su que c'était vous.

Antoine sentit monter en lui une panique comme il n'en avait plus connu depuis quatre ans qu'il croyait sa vie définitivement à l'abri. Au moment où son existence s'enfonçait dans la routine comme dans des sables mouvants, soudain, tout remontait, la mort de Rémi Desmedt, la traversée du bois de Saint-Eustache avec le corps de l'enfant mort sur les épaules, ses petites mains qui disparaissaient dans le gouffre sous le grand hêtre couché…

Il essuya d'un geste la transpiration sur son front.

Il se revoyait, au retour vers Beauval, blotti dans le fossé, guettant les voitures avant de traverser la route.

— Alors, je me suis arrêté un peu plus loin… Je me suis garé, je suis descendu et je suis allé voir ce qui se passait. Je me demandais si vous aviez besoin d'aide. Bien sûr, je ne vous ai pas trouvé, vous étiez déjà loin.

M. Kowalski était le seul témoin qui aurait pu, à l'époque, orienter l'enquête dans la direction d'Antoine ; il avait été arrêté lui-même, inquiété, jusqu'à la découverte du corps de Rémi, quatre ans plus tôt, et il avait été de nouveau interpellé et interrogé…

— Et vous…, commença Antoine.

— C'était pour votre mère, comprenez-vous. Je l'ai beaucoup aimée, vous savez. Elle aussi, je pense…

Il baissa la tête, son teint s'était cuivré sous l'effet d'une confidence dont il semblait saisir la banalité un peu vulgaire.

— Ça va vous sembler ridicule d'un vieil homme comme moi, mais… c'était une grande passion.

Non, Antoine ne trouvait pas cela ridicule, il avait eu aussi une grande passion dans sa vie.

— Je n'ai jamais voulu dire ce que je faisais ce jour-là parce que… nous étions ensemble, elle et moi. Dans cette voiture justement. Je ne voulais pas la compromettre… Elle souhaitait que notre relation reste cachée… Ce sont des choses qui se respectent.

Pour éloigner les soupçons, Mme Courtin s'était toujours montrée distante, sévère, proférant sur M. Kowalski des jugements définitifs qui se révélaient rétrospectivement d'une grande cruauté.

Antoine recollait avec peine les morceaux de tout cela. M. Kowalski s'arrête. Que dit-il à Mme Courtin ?

Dans la voiture elle se retourne, ne voit rien, se demande ce qu'il est parti faire, elle ne veut pas rester là, arrêtée au bord de la route, elle ne veut pas être vue par les gens…

M. Kowalski est descendu, il cherche Antoine, qu'il vient d'apercevoir affolé en train de courir vers Beauval, il ne le trouve pas, il renonce, remonte en voiture et redémarre…

Que se disent-ils ?

— Je ne lui ai rien dit. C'était un peu par réflexe, j'avais l'impression que… comment dire… que ce n'était pas bien.

Cette relation entre sa mère et cet homme plongeait Antoine dans un malaise qu'il parvenait difficilement à maîtriser. Non qu'elle fût scandaleuse en soi, bien sûr, on est toujours surpris et choqué qu'un de ses parents puisse avoir une vie sexuelle même quand on est médecin, alors, il y avait de cela, bien sûr, mais aussi quelque chose de plus diffus, de plus complexe, qui aurait nécessité du temps, de la réflexion, et qui reposait sur cette question : quand s'étaient-ils connus ?

Mme Courtin avait commencé à travailler chez M. Kowalski bien avant la naissance d'Antoine… Deux ans ? trois ans avant ? Le père d'Antoine était parti quand ? Les dates, les années, les images se mélangeaient, le sol se dérobait.

Antoine fut pris d'une brusque nausée.

Il se tourna vers M. Kowalski et s'aperçut qu'il s'était levé, qu'il était déjà à la porte.

— Tout cela n'a plus d'importance, docteur. On se pose beaucoup de questions, vous savez… Moi-même… Et puis un jour, on arrête.

C'est cet homme qui avait dû lui aussi tant souffrir, qui cherchait à cet instant les mots pour le rassurer.

Antoine tremblait comme s'il était sorti sans manteau un jour de neige.

— Et surtout, docteur, ne vous inquiétez pas…

Antoine ouvrit la bouche, mais M. Kowalski était déjà parti.

Deux jours plus tard, il reçut un petit colis qu'il ouvrit sur la table de son cabinet, juste avant de commencer ses consultations.

C'était sa montre. Avec son bracelet fluo vert.

Évidemment, elle était arrêtée.

GRATITUDE

Ce roman n'aurait pas vu le jour sans l'indispensable présence de Pascaline.

Que l'ami Patrice Leconte [saint Martin] soit remercié d'avoir écrit la lettre qu'il fallait au moment où il le fallait. Puisqu'il est question des amis, comment oublier Jean-Daniel Baltassat [saint Bernard] et Gérald Aubert, l'ami fondamental…

S'il y a des erreurs ici et là, ni Daniel Wainblum, ni François Daoust, ni Samuel Tillie ne seront à blâmer, mais moi seul.
Eux, au contraire, je les remercie bien vivement de leur aide et de leurs conseils.

Je me reconnais volontiers dans le commentaire de H. G. Wells dans sa préface à *Dolorès* : « On prend un trait chez celui-ci, un trait chez cet autre ; on l'emprunte à un ami de toujours, ou à quelqu'un à peine entrevu sur le quai d'une gare, en attendant

313

un train. On emprunte même parfois une phrase, une idée à un fait divers de journal. Voilà la manière d'écrire un roman ; il n'y en a pas d'autre. »

Ainsi, pendant l'écriture de ce roman, des images, des expressions me sont apparues dont je savais qu'elles venaient d'ailleurs. Pour celles que j'ai pu identifier, elles provenaient (pardon pour le désordre) de : Cynthia Fleury, Jean-Paul Sartre, Georges Simenon, Louis Guilloux, Virginie Despentes, Rosy & John, Thierry Dana, Henri Poincaré, David Vann, Nathaniel Hawthorne, William McIlvanney, Marcel Proust, Yann Moix, Umberto Eco, Marc Dugain, K.O. Knausgaard, William Gaddis, Nic Pizzolatto, Ludwig Lewisohn, Homère et sans doute quelques autres…